JN116990

評伝 カール・ラガーフェルド

Andeto

評伝　カール・ラガーフェルド

Andeto

パトリック・ドゥ・シネティに捧ぐ

はじめに

新たなコラボレーション、壮大な建築プロジェクト、そして新作コレクション……。カール・ラガーフェルドのプレスルームからは、毎日のように新しい情報が発表されていた。六十年以上もの間、歩みを止めることなく、すさまじいペースで発信を続けたカール。そのクリエイティビティは、新たな風に吹かれては生まれ変わり、時流を乗りこなして、時代が求めるファッションの理想形を提示してきた。

ずば抜けて鋭い感性と時代を生き抜く才能を武器に、彼は一線で活躍を続ける唯一無二のクリエイターとなった。そして宝石箱のようなランウェイを彩る作品のひとつひとつを、自らの手でデザインしてきた。

カール・ラガーフェルドの一挙一動に注目したのは、ファッション界だけではなかった。その存在感はランウェイにとどまらず、世界をも魅了していく。カールはアイコンとなり、伝説ともいえる存在となった。ファッションの歴史を紡ぐ主役の一人となったのだ。

カールは、故郷ドイツではなくフランスを舞台に、完璧にカスタマイズされた「カール・ラガーフェルド」という役柄を演じることにした。世界に知られる、スタイリッシュなモノトーンの「ロゴ」として。

彼の成功を支えたのは、自らを律する独自の美学だ。今を生きることだけを考え、自分の過去は決して振り返らない。その危ういバランスが、いつまでも輝きを失わない新しさを生み、永遠性を秘めた

「カール」という存在を育んだのだ。

この伝説の陰には、ひとりの生身の人間がいる。そして、その人にまつわる物語がある。カールの人物像を探り、その物語を紐解くことは、誰も見たことのなかった華やかな成功の源泉をたどること。本書では、その足跡を追い、当時の様子を伝えるさまざまなエピソードを拾いながら、カール・ラガーフェルドという人物の輪郭をなぞっていきたいと思う。

1 知識という鎧

パリのあちらこちらで横断幕が広げられ、その地区でもデモが始まろうとしていた。二〇一六年六月。陽の光がバスティーユ広場を包み込み、オペラ・バスティーユのガラス張りのファサードがまばゆく輝く。新オペラ座とも呼ばれるこの建物の中に入り、舞台のそばまで来ると、街の喧騒は分厚いカーテンに遮られてほとんど聞こえなくなる。空気はひんやりとして肌寒いほどだ。舞台袖は暗闇に包まれている。そこへふっと、ひとつのシルエットが浮かび上がった。誰も見ていないと思ったのか、薄暗い足元がよく見えるよう、その人物はつかの間、黒いサングラスを外す。哀愁や厭世のようなものを湛えた眼差しが覗く。それから彼は、天井から降り注ぐ光の中へと進んでいった。

一時間以上も前から待ち構えていたジャーナリストたちが、その姿に気付く。カメラを構え、マイクブームをかざして、撮影用の照明を点ける。その人物は背筋を伸ばし、サングラスを掛け直して、一斉に焚かれるカメラのフラッシュを浴びながら歩き始めた。

クリエイターとしてシャネルやフェンディ、そして自身の名を冠したブランドを手掛け、モードの帝王と呼ばれるまでになったカール・ラガーフェルド。彼はこの日、振付師ジョージ・バランシンが制作したバレエ「ブラームス・シェーンベルク・カルテット」のリハーサルのためにここに来ていた。当時パリ・オペラ座バレエ団の芸術監督を務めていたバンジャマン・ミルピエの依頼で、この作品の衣装を手掛けたからだ。白いシャツに黒いネクタイ、スリムなジャケット。ヘアスタイルはいつものポニーテール。カールは颯爽と「登場」し、場の主役となる。それから舞台を下りて観客席の中央に陣取り、アドバイザーらに囲まれてリハーサルを見守る。その視線は真っ直ぐにダンサーたちに注がれている。ここでは、濃い色のリングラスを外すことはなかった。

一時間も経たないうちに、彼は舞台の上に戻る。ジャーナリストに囲まれ、投げかけられる質問に次々と答えていく。こうした取材はもはやお手のものだ。ファッションショー直後の囲み取材さながらに、数分間、カールの口から淀みなく言葉が流れ出る。背後には、彼がデザインした舞台装飾の背景幕。そこに描かれた薄霧にかすむ城は、カールがこれまでに過ごした、さまざまな場所にインスパイアされて生まれたものだ。このとき、オペラ・バスティーユの舞台上には、性質の違う二つの世界が共存していた。モード界の寵児が生み出すモダニティと、忘れ去られつつある世界へのノスタルジア。相容れないように見えて、実は深いつながりをもつ二つの世界。一方が前面に出れば、もう一方は見えなくなってしまう。ただ哀愁だけが、それらを結びつける。カールの、哀愁を帯びた眼差しが。カールはいつも自分のことを、白と黒の衣装を着た「マリオネット」になぞらえる[1]。そのマリオネットが踊る舞台の裏で繰り広げられてきた物語は、外から見て想像するよりもずっと、複雑で繊細なもの。白黒をつけて、ひとことで語れるようなものではなかった。

やがてカールは、舞台袖の暗闇へと再び姿を消した。自身の伝説に、光を遮る幕を下ろすかのように。「閉幕」の合図を受け、引き際を悟ったジャーナリストたちは、カメラやマイクを片付け始める。その先の世界が、人目に触れることはない。そこはミステリアスな空気に満たされた、畏怖の念すら抱かせるような、知られざる秘密の領域なのだ。

カールは車に乗り込み、どこかへと去っていく。その行き先は、誰も知らない。

カール・ラガーフェルドのアパルトマンはパリの「リヴ・ゴーシュ（左岸）」［訳注1］にあり、セーヌ川に臨む岸辺に建っていた。毎晩のことだが、アパルトマンからは川面を照らすほどの白い光が漏れている。窓が開くことはなく、外から室内の様子を窺い知ることはできない。そこは、侵すことのできない秘密の隠れ家だった。歴史ある重厚な石壁の中に、超近代的なインテリアに包まれた、三百平方メートルを超える聖域が広がる。宇宙船を思わせる空間だ。スタンリー・キューブリックにインスパイアされた映画の舞台のように、グレー、ホワイト、シルバーの家具が並ぶ。キッチンには、「コカ・コーラ ライト」が詰め込まれたステンレススチールの冷蔵庫。幾千年もの昔から主人の帰りを待っているかのような佇まいだ。この部屋で唯一、生活感を醸し出している紙の束や本、新聞の山が、無秩序に積み重なり、近未来的なインテリアが描き出すシャープなラインを乱している。アパルトマンは殺風景に見えるが機能的だ。「眠って、風呂に入り、仕事をするための場所だからね」［2］カールはそう説明する。美しい人工大理石のテーブルに、黒いサングラスが一つ置かれている。その隣には、レザーのフィンガーレスグローブも一組。「カールが自室に戻り、静かにサングラスと付け襟を外し、ポニーテールを解いている姿を想像してみてください。そこに現れる無防備なカールがどんな人なのかは、誰も知りません。彼はずっと仮面をつけて生きている。そういう人なんです。無理に正体を暴こうとする必要なんてない。そう思いませんか［3］」『ル・フィガロ』紙のファッションジャーナリスト、ジャニー・サメはそう釘

訳注1——リヴ・ゴーシュ（左岸）
パリの、セーヌ川より南側のエリアのこと。区で言うと五区、六区、七区、十三区、十四区、十五区。セーヌ川は東から西へ、地図で見ると右から左へ流れているため、川の流れと同じ方向を向いたときに自分の右側にあたるエリアを「右岸」、左側にあたるエリアを「左岸」と呼ぶ。

を刺す。

カールの仕事場は、世界各地にある。「一日を終えたら自分の家に帰りたいんだ。プライベートジェットのおかげで、いつでも好きなときに帰れるからね。私は真面目だから外泊はしないよ。シュペットもいるしね[4]」愛猫シュペットは、「ビルマの聖なる猫」ともいわれるバーマン種。その優雅な影が床に伸び、ご主人様の帰りを待っている。ただ、カールがその夜、本当に家に帰ったかどうかはわからない。世界中の人にそう思わせておいて、見事な離れ業をやってのけるのがカールだから。

壁を覆うようにずらりと並ぶ、縦長のすりガラス。一枚一枚が扉になっており、その中に縦長の本棚がしつらえてある。すべてを開け放つと壁一面、床から天井までを埋め尽くす、数百冊の本を収めた巨大な書棚が現れる。本は、彼の人生だ。読書はもはや「深刻な病か強迫観念[5]」のようなものになっているが、治すつもりはないという。カールは常に、二十冊ほどの本を同時に読んでいる。世界中にいくつもある家の数だけ書棚があり、三カ国語、三十万冊にも上るアートブックや写真集、小説、哲学書が保管されているが、彼が常に手元に置いている作品はほんのわずかだ。これらの本はパズルのピースのように、カールが生き、夢見てきた物語をかたちづくっている。サルトルの『言葉』から、エードゥアルト・フォン・カイザーリングの『Schwüle Tage（蒸し暑い日々、の意）』、カトリーヌ・ポッジの詩集まで、さまざまな作品をつなぐ、目に見えない密やかな糸。その糸をたどれば、モードの帝王を主人公とする伝説が、いかにして日々書き加えられ、紡がれてきたのかを知ることができる。

カールが幼い頃に出会ったバルザックの『ベアトリクス』は、そんな本の一つだ。十歳の頃、家の本棚に収められていたその小説を読みたいと言い出したカールに対し、母エリザベートは、それならフランス語を学びなさいと言った。そこで彼は早速フランス語を勉強し、バルザックの書いた物語を読み終えた。フランス語の本を初めて読破したカール少年が不思議に思ったのは、こんなことだったらしい。「ベアトリクスは三十二歳で、劇場へ行くのにピンクのモスリンのスカーフで首のシワを隠していた。だから母に聞いたんだ。『このばかな女はどうしてスカーフなんかしてるの』って〔6〕」

『ドイツ論』も、カールがいつも枕元に置いている一冊だ。フランスの文学者、スタール夫人［訳注2］が書いたこの評論集は、どこか知らない国で起きた、はるか遠い昔の話のように思われる。しかしその中の一部は、カールが知っている国や時代の話だったりもするのだ。だからそこに書かれている他の話も、ただあっさりと忘れ去られてしまっただけで、実はそう遠い昔のことではないのかもしれない。

訳注2――スタール夫人

フランスの女流文学者。フェミニズムの先駆者でもある。

　スイス出身でルイ十六世の財務総監を務めたジャック・ネッケルの娘として、一七六六年パリに生まれる。幼い頃から母親が主宰するサロンに出席し、進歩的なアンシクロペディスト（『百科全書』の執筆、刊行に参加したフランス啓蒙思想家の集団）の影響を受けた。二〇歳のときパリ駐在スウェーデン大使のスタール＝ホルスタイン男爵と結婚したが、まもなく破綻した。

　一七九五年、『小説論』を発表してドイツの文豪ゲーテから絶賛された。フランス革命後にナポレオンの独裁が始まると、スタール夫人はナポレオンに期待を寄せるようになる。一八〇〇年には、文学を社会的な観点から考察し、ヨーロッパの南方文学と北方文学を対比させた『文学論』を出版。また、一八〇二年には小説『デルフィーヌ』を出版。これらの著作は反専制的な思想や自由主義的な主張を強調するものだったことから、ナポレオンの不興を買い、一八〇三年にパリから追放される。その後約十年にわたる亡命生活では、スイスでサロンを開いたり、ドイツ、イタリア、英国などを訪れた。

　愛人であった作家・思想家のバンジャマン・コンスタンとの関係を元にして書かれた小説『コリンヌ』（一八〇七年）は、女性解放主義文学の先駆けとなった。一八一〇年には『ドイツ論』を発表。ドイツを称賛する内容のため再びナポレオンの怒りを買い、発禁処分となったものの、新たな文学論を展開してフランス・ロマン主義に大きな影響を与えた。一八一四年、ナポレオン体制の崩壊とともに帰仏し、一八一七年にパリで死去した。

2 静穏なサンクチュアリ

沈みかけた太陽の冷え冷えとした光が、白亜の邸宅の窓から長く差し込む。部屋の壁にはベージュと黒を基調とした絵画がかかっており、夕陽がそのコントラストをよりいっそう際立たせる。そこに飾られているのは、アドルフ・フォン・メンツェル［訳注1］が描いた絵画「König Friedrichs II. Tafelrunde in Sanssouci（サンスーシ宮殿でフリードリヒ二世と円卓を囲む人々、の意）」のレプリカだ。一八五〇年に描かれたものだが、舞台は啓蒙思想が主流となっていた十八世紀のヨーロッパ。啓蒙専制君主の典型といわれるプロイセン王フリードリヒ二世［訳注2］は、ポツダムにある「夏の離宮」サンスーシ宮殿でプライベートな夕食会を催しては、音楽などの娯楽を気ままに楽しんでいた。その一幕を切り取った作品だ。

そこには、円形の部屋でのワンシーンが描かれている。暖かなブロンズ色の背景によって強調される、夕食会のくつろいだムード。そこへ、庭園へと続くガラス扉から明るい光が差し込み、晴れやかで浮き立つような気分が

訳注1――アドルフ・フォン・メンツェル

アドルフ・フリードリヒ・エルトマン・フォン・メンツェル（一八一五年十二月八日～一九〇五年二月九日）は、ドイツの画家、挿絵画家、版画家。プロイセン王国ブレスラウ（現ポーランド）で石版画家の息子として生まれる。一八三〇年にベルリンに移住。

一八三九年から一八四二年にかけて、ベルリンの美術史家フランツ・クーグラーの著書『フリードリヒ大王伝』の挿絵として、約四百点の版画作品を制作。この著作はフリードリヒ二世の即位百年を記念して制作されたもので、一八四〇年から一八四二年にかけて二十分冊で刊行された。これをきっかけに、プロイセン宮廷などで画家として活躍するようになる。カール・ラガーフェルドが愛した絵画『サンスーシ宮殿でフリードリヒ二世と円卓を囲む人々』と同時期の作品に、『サンスーシ宮殿でのフリードリヒ大王のフルートコンサート』がある。

巧みに表現されている。コリント様式の柱に支えられた丸天井にはボヘミアングラスのシャンデリアが飾られ、その下で、フリードリヒ二世を九人の招待客が囲む。中央にいる王の顔は哲学者ヴォルテールのほうを向いていて、ヴォルテールは身を乗り出すようにして王と話し込んでいる。白いウィッグをかぶり、薄紫色のベルベットにレース飾りのついた服を着ているのがヴォルテールだ。

バルト海から吹いてきた風が、シュレースヴィヒ＝ホルシュタインの森の高い木立を通り抜けて邸宅へと忍び込み、しわくちゃになった紙をカサカサと鳴らす。ハンブルクから北へ約四十五キロメートル、バート・ブラームシュテトという小さな町にほど近い、ビッセンモールと呼ばれる邸宅。そこで一人の男の子が自分の部屋にこもり、小さな机の上で絵を描いている。チェストや小さなベッド、肘掛け椅子、壁に張られたブルーのベルベットが、温もりを感じさせる。何歳くらいだろうか。それさえもわからないほど、辺りはすっかり霧に包まれている。

この少年、カール・ラガーフェルドが、先ほどの絵画の所有者だ。カール曰く、両親とハンブルクを歩いているときに通りがかった画廊でこの絵に一目惚れしてしまい[1]、どうしてもこれが欲しいとねだった[2]らしい。クリスマスツリーの下にサプライズのプレゼントを見つけたカール少年は大喜びで包みを開けたのだが、中身を見た途端、大きな声で嘆いた。父オットーと母エリザベートが買ってきたのは違う絵だったのだ。そこに描かれていたのはフルートを演奏する人たちで、画廊のショーウィンドウでカールの目を釘付けにした、ウィッグを被って円卓を囲む客たちではなかった。すぐに取り換えてくれとカールが騒ぐので、両親は画廊に電話して、クリスマスだというのに店を開けてもらうことになった。こうしてついに、その絵はカールのものとなったのだった。「豪華な建築装飾、大きなシャンデリア、金

訳注2——プロイセン
プロイセン王国は、一七〇一年から一九一八年にかけてドイツの北東部を占め、ベルリンに首都を置いていた王国。地方としてのプロイセンは、現ポーランド北部からロシアの飛び地カリーニングラード州、リトアニアにかけて広がるエリアを指す。

銀の食器が並ぶテーブル、ガラス扉の向こうに広がる庭園、招待客の姿やウィッグ、衣装など、その世界観に心を動かされたのでしょう[3]」美術史家のダニエル・アルクッフはそう説明する。「何を食べているんだろう、何を話しているんだろうと、思いを巡らせたのでしょうね[4]」この絵をじっと見つめていると、はるか昔の、魅惑的な世界の息吹を感じることができる。革命前のヨーロッパの宮廷や啓蒙時代のフランス、その時代の文学や絵画、建築、緻密なディテール、洗練を追い求める文化……。この絵に描かれたプロイセン風の装飾からは、パリの香りが漂ってくる。サンスーシ宮殿は豪華絢爛なヴェルサイユ宮殿の影響を受けたものであるし、パリはフリードリヒ二世や啓蒙時代のヨーロッパが模範とした都市だったからだ。幼いカールはこの絵に描かれた世界に夢中になり、想像を膨らませ、その背景を貪欲に学んだ。

そして自分は将来、この絵の登場人物の一人になるのだと思うようになった。六歳のカールは二階のバルコニーに座り、「物語や伝説の主人公になった自分を想像しては、こう考えていた。『僕は将来、世界に広く知られる有名人になるんだ[5]』とね。変な話だけど、そう信じて疑わなかったんだ」当時のカールはそうした思いにすっかり取り憑かれていて、空想の世界にのめり込むあまり日常生活に支障をきたすほどだった。時は一九四二年。デンマークとの国境からそう遠くない場所で、カールはそんな浮世離れした日々を送っていたが、その頃世界は、第二次世界大戦の真っ只中にあった。

ラガーフェルド一家は当初、ハンブルクの高級住宅街ブランケネーゼにある自宅と十年ほど前に購入したビッセンモールの別荘を行き来していたが、ほどなくしてビッセンモールの屋敷に居を移し、戦争が終わるまでそこに腰を落ち着けることにした。この選択は正しかった。ハンブルクは一九四三年に、米英による空襲の標的となったからだ。ナチス第三帝国の海上輸送の要衝であり、海軍の戦略的拠点だったハンブルクに、イギリスとアメリカの爆撃機は昼夜を問わず爆弾の雨を降らせた。夏の間に街を焼き尽くしたこの一連の空襲には、「ゴモラ作戦」というコードネームがつけられていた。ソドムとゴモラという二つの堕落した町が神の怒りに触れ、火と硫黄で滅ぼされたという、旧約聖書「創世記」のエピソードにちなんだものだった。一週間にわたる爆撃で、三万五千人が命を落とした。ハンブルクのほとんどが瓦礫と化し、あちこちから濃い煙が立ちのぼっていた。

カール少年はその間、ほとんどの時間を自室に閉じこもって過ごし、理想のヨーロッパを思い描きながら幻想の世界に浸っていた。ナチス支配下のドイツが戦火に焼かれ、多くの血が流れていることを、彼は知っていたのだろうか。カールは二〇一五年のインタビューで、「私がいたところは、空襲を免れた数少ない地域だった。戦争に巻き込まれずに済んだのはとてつもない強運に恵まれたおかげだ[6]」と語っている。

確かに、バート・ブラームシュテトへの爆撃はなかった。しかし歴史家ロナルド・ホルストは、「十歳前後になっていたカールが戦争の激化に気がつかなかったとは考えられない[7]」と指摘する。カールがいたバート・ブラームシュテトは空襲を受けたハンブルクとキールの間に位置しており、爆撃機が飛び交うのが見えたはずだという。それに、空襲によって約九十万人が避難を迫られ、バート・ブラームシュテトにも多くの人が逃れてきていた。「アパルトマンや工場、店舗などは徴発され、共有を余儀なくされました。ラガーフェルド一家も自分たちだけで邸宅に住むことはできなくなり、他の人を受け入れることになったのです」とロナルド・ホルストは説明する[8]。

シルヴィア・ヤーケが両親とともにビッセンモールの邸宅に住み始めたのも、ハンブルクの自宅が損壊し、戦禍を逃れてきたためだった。一九三四年生まれのシルヴィアは当時まだ十歳前後だったが、ビッセンモールに来た日のことをよく覚えているという。そこはまるで天国のようだった。「エントランスに円柱が立ち並ぶ古いお屋敷で、玄関を入ると中は真っ白。子どもの目には、魔法の国の小さなお城のように見えました。大きな広間もありましたね[9]」壮麗な邸宅の階段を登ると小さな部屋がいくつかあり、そこがシルヴィアの家族や他の同居人の住まいとなっていた。敷地の門を入ると、ヨーロッパナラや白樺が植えられたアプローチが玄関までくねくねと続いている。屋敷は広々として居心地良く、ブルジョワジーの別荘そのものといった趣だった。二階にはバルコニーがあり、家のまわり三分の二を回廊のように取り囲んでいる。広々としたサンルームもあり、細い柱が並ぶ瀟洒な空間には、籐のアームチェアとティータイム用のローテーブルが置かれていた。邸宅の大きな屋根には、とんがり屋根の小さな塔までついていた。

　避難してきた人々とラガーフェルド一家は、適度な距離を保ち、互いに気を遣いながら円満に暮らしていた。ただ、子どもだったシルヴィアにとって、ラガーフェルド夫妻の印象は「怖かった」という。「ご主人は濃い色のスーツを着て、紋章が刻印された立派なシグネットリングをつけていました[10]」「奥様はいつも背筋がピンと伸びていて、厳格な方のようでした。笑ったところは見たことがありません。カールの髪の色は黒っぽくて、量も多かったのを覚えています。利発そうな目つきをしていて、とてもおとなしくて、行儀の良い子でしたね。わんぱくな、けんかっ早い子どもではありませんでした[11]」二人はほぼ同い年だったが、シルヴィアがカールを見かけることはほとんどなかった。

　全容は理解できないにしろ、日常生活に少なからず影響を及ぼしていた戦争というものを、カール少年も肌で感じていたはずだ。そんな状況をどう受け止めていたのだろうか。「両親はいつも、あらゆることから私を守ってくれた。だから自分は無敵だと思っていたんだ[12]」とカールは言う。末っ子で、愛され方を知っていた彼は、両親にかわいがられていた。姉のマルタ＝クリスティアーネやテアとは違い、カールは決して両親に反抗しなかった。二人の姉とカールの性格は正反対だった。マルタ＝クリスティアーネは、近所の農家の息子たちと木登りをしたりビッセンモールの森を駆け回ったりする、おてんばな娘だった。一方のカールは、周辺の牧場にいる牛は好きだったけれど、牧歌的な遊びに夢中になることはなかった。ラガーフェルド家の乳母と親しかったというエルフリーデ・フォン・ヤウアンによれば、元乳母の女性はこう話していたという。「カールは二人の姉のことをあまり慕ってはいないようでした。着せかえ人形のように姉に古着を着せたりして、よく一緒に遊んでいましたけど、特に仲がいいというわけではありませんでした[13]」カールは二人の姉との距離感について、「好きじゃなかったわけではないよ。合わなかっただけなんだ[14]」と話している。それはカールが、子どもらしくいることよりも大人びた振る舞いを好んだからだろう。

　父オットー・ラガーフェルドは、九カ国語を話す博学な人だった。独力で出世し、産業革命にも貢献した。ジュール・ヴェルヌやジョゼフ・コンラッド、アレクサンドル・デュマの小説に出てきそうな、バイタリティあふれる人物だった。一九〇六年にはサンフランシスコ地震を経験し、崩壊した街を目の当たりにする。瓦礫に埋もれ、約三千人が亡くなった。歴史家ロナルド・ホルストによれば、オットーはこの経験から、「地震が来たらドアのそばに行け。壁は崩れるが、ドアは倒れない。ドアを開けて、壁が倒れる方向と反対側に出れば助かる[15]」と話していたという。そしてこの地震の数カ月後には、オットーはウラジオストクやハバロフスクといった極東ロシアの都市をまわり、コンデンスミルクを売り歩いていた。大平原をひた走るシベリア鉄道の一等車に乗り、アムール川流域の広大な未開の地を駆け回っていたのだった。

　カールは父親についてこう語っている。「一九一四年に開戦した第一次世界大戦の後、ドイツとフランスへのコンデンスミルクの輸入を始めた。その後、米国人と共同でドイツとフランスに工場をいくつか開業したそうだ[16]」ビジネスは好調だった。一九三九年には第二次世界大戦が開戦したが、前線に赴くには高齢過ぎたため、オットーは仕事を続けた。家を不在にすることも多かった。「オットーの会社『グリュックスクレー』[訳注3]は、ハンブルクに本社がありました。一番近い工場は百キロメートルくらいのところにありましたが、他の工場は八百キロメートルも離れていました[17]」とロナルド・ホルストは説明する。「三つの工場を定期的に見て回らなければならなかったので、家をあけることが多く、子どもたちの教育は母親に任せきりだったようです[18]」当時六十歳手前だった父親は、息子カールにとっては物知りで尊敬に値する大人だった。「父と一緒に過ごすことはあまりなかった。仕事ばかりしていて、面白い人ではなかったよ。すごい人だし、母よりずっと優しかったけど、一緒にいて楽しいわけではなかったね[19]」

　オットー・ラガーフェルドが息子を甘やかしたのは、留守がちだったことへの罪滅ぼしだったのかもしれない。オットーはよく、カールのお気に入りだったドイツの風刺週刊誌『ジンプリツィシムス』を買ってきた。カール少年はこの雑誌を通して、建築家でデザイナーでもあったブルーノ・パウルなど、優れたイラストレーターの作品に触れ、大いに刺激を受けた。エルフリーデ・フォン・ヤウアンは、その頃のカールの様子についてこう話す。「一人でいる時はほとんど絵を描いていて、邪魔されるのを嫌いました。紙に描くのが好きでしたが、何も書かれていない真っ白な紙でないとだめでした。少しでも何か書いてあると気に入らないんです。ちょっとした似顔絵なども描いていて、誰の顔かすぐわかるくらい上手でしたよ[20]」

　一九三〇年に結婚したとき、オットーは四十九歳、エリザベートはまだ三十歳だった。カールが生まれる頃にはオットーは五十代になっていたし、

訳注3——グリュックスクレー（Glücksklee）
日本では「モンカタバミ」や「ヨツバカタバミ」と呼ばれる、四つ葉のクローバーに似た植物の名称。ドイツ語でglücksは「幸運の」、kleeは「クローバー」を意味し、ドイツではラッキーアイテムとされている。

近寄りがたいところもあったが、思いやりのある父親だった。カールはこう振り返る。「『何か必要なものがあれば私に言いなさい。ただし母さんのいないところでね』というのが父の口癖だった[21]」オットーは、エリザベートが与えられないものをカールに与えた。たとえば、穏やかな愛情を注いでくれたのは母親ではなく父親だった。「母にはいつも、『くだらないことを言う時は早口で言いなさい。そんなことに付き合っている暇はないんだから[22]』と叱られていた」カールはさまざまなエピソードを持ち出して、母親の口の悪さを面白おかしく語る。「母にはひどいことばかり言われていたよ。『おまえの鼻の穴は大きすぎるから、内装屋さんに連絡してカーテンをかけてもらおう』なんて、ふつう子どもに言うかい？　一時期、チロリアンハット〔訳注4〕が好きでよくかぶっていたんだけど、それも母に言わせればこうだ。『年増のレズビアンみたいだわ[23]』」カールの長い黒髪が両耳の横でくるんと巻いていれば、「母はこう言った。『その顔、まるでストラスブールの、両脇に取っ手がついた陶器のテリーヌ型みたい[24]』」エリザベートは、ずっとまとわりついてきて突飛な質問をしてくる息子にうんざりしていたのだろう。彼女の毒舌は、それをあしらうための策だったのかもしれない。「カールは当時、ピアノのレッスンを受けていて、曲もいくつか弾けるようになっていました[25]」歴史家ロナルド・ホルストは言う。ある日カールが家のピアノで練習していると、母親はこう言ったという。「ああうるさい。ピアノはやめて、絵でも描きなさい。同じ下手でも、絵を描いているほうがずっと静かだからね[26]」

カールの母親は、愛情深いが、辛辣なことも平気で口にする人だった。反骨心はあるが育ちの良い生粋の貴族で、親しい人の前では高慢に振る舞うものの、使用人に対してはとても礼儀正しく、性悪なのに憎めない。とにかく不思議な人だった。母親は反面教師であり、理想像でもあった。「私にはあ

訳注4——チロリアンハット
チロル地方（アルプス山脈東部、オーストリア西部からイタリア北部にわたる地方）の民族衣装としてかぶる、フェルト製の帽子。つばは狭く、後ろが折り返されたフォルムで、飾り紐を巻き、横に羽根飾りをあしらったデザインが一般的。チロル帽、アルパイン・ハットとも呼ばれ、登山用の帽子としても広く愛用されている。

あいう両親が必要だったんだろうね。父はどんなことも許してくれた。そして母は、私を正しい場所に連れ戻し、身の程を知ることを教えてくれたんだ[27]」

　そう、エリザベートは、自分を中心に世界が回っていると信じていたカール少年の思い上がりを正し、戒めていたのだ。ここに一枚の写真がある。そこには、レーダーホーゼン[訳注5]と呼ばれる民族衣装を着た、四歳のカールが写っている。それはドイツ南部バイエルン州特有の衣装で、カールの住む北ドイツでは誰も着ないものらしい。だが幼いカールはサスペンダーがついたグリーンの革製半ズボンをはき、ポケットに両手をつっこんで、得意げなポーズで挑発するように立っている。まさに怖いものなしといったところだ。

　カール少年は母親の毒舌に打ちひしがれることもなく、むしろそこから教訓を得ていった。姉たちのように口ごたえをして早々に寄宿舎に入れられたくないという思いも多少はあったが、それよりも、母エリザベートの強大な権威に敬服する気持ちのほうが強かった。「棘があるけどユーモアもある、母特有の無駄のないプラグマティズムに、私はいつも舌を巻いていたんだ[28]」カールはのちにそう打ち明けている。エリザベートは自らもヴァイオリンを嗜む音楽好きで、スペイン語の哲学書をドイツ語に訳せるほどの語学力もあった。しかしそうした深い教養をもちながら、書棚脇のラウンジチェアに深く身を沈め、本を片手に、人に指示を出すだけの日々を過ごしていた。

　エリザベートの過去と素性は謎に包まれており、カールもそれを認めていた。「『私の子ども時代と結婚後のことは教えてあげるけれど、おまえの父親に出会うまでのことは、聞いても無駄だよ。おまえには関係ないからね』と言われていた[29]」という。カールの母親となったこの女性は、どんな

訳注5——レーダーホーゼン
ドイツ南部バイエルン州からオーストリアのチロル地方にかけての地域で、男性が着用する民族衣装。前胸部分がH型になった肩紐が付いたレザー製のハーフパンツで、ドイツ語で「革ズボン」を意味する。女性用の民族衣装はディアンドルという。バイエルン州では現在も、ワイン祭りや結婚式などの際によく着用される。

一九二〇年代を過ごしてきたのだろう。隠しておきたい人生だったのだろうか。伝記作家のアリシア・ドレイクが言うように、「カールの父親と知り合った頃はベルリンにある女性用ランジェリーショップで店員をしていた[30]」のだろうか。貴族でありながら羊飼いだったという噂もある。カールは二〇〇三年、ジャーナリストのベルナール・ピヴォに、エリザベートは「プロイセン王国の上級行政官の娘で、父親はドイツ皇帝・プロイセン王ヴィルヘルム二世の下でヴェストファーレン州の総督を務めていた[31]」と語っている。ともあれ、カールが母親に対して、とどまることのない愛情を抱いていたことに間違いはない。

ぱらりとページをめくる音と、さらさらと紙の上を走る鉛筆の音だけに囲まれて、平穏な時間と日々が過ぎていく。少年は外界から隔絶された白亜の屋敷で本を読み、夢想し、絵を描き続けた。背の高い木立に守られた少年の密やかな世界はまだ、厳しい現実とは無縁だった。「実際に経験してはいないけれど、想像をめぐらせて心のなかに再現した過去。私はあの頃、そんな過去の中で生きていたんだ[32]」

父親が買ってきてくれた雑誌の風刺画やメンツェルの絵の世界に没頭していれば、現実から目を背け、戦争の恐ろしさを感じずにいられた。だが現実の世界では、戦争と爆弾があらゆるものを破壊し尽くしていた。そうして失われつつあった古き良き世界を、カール少年は無意識のうちに記憶にとどめ、聖域化しようとしたのだ。立派な邸宅が建ち並ぶドイツの景観。宮殿の壮麗な広間や、そこに施された精緻な木彫り細工、青い空と小天使たちが描かれた天井。彫像や噴水に彩られ、あちこちに秘密の隠れ処のある庭園の数々。十八世紀を象徴するこうした洗練をすべて、自分だけのサンクチュアリに詰め込んでいく。こうしてカールは、子ども部屋の中で、独自の世界観の基礎を築いたのだ。輝きを失ってしまった現実に向き合うために。

3 異質な少年

シルヴィア・ヤーケは毎朝、草を食む牛たちや森のそばを通り、一人歩いてバート・ブラームシュテトの学校に通っていた。一方、カールはたまにしか学校に行かない。授業も先生たちのことも嫌いだし、興味があることを自分で掘り下げるほうがよっぽど楽しいからだ。「(教師からは)いつも同じことを言われていたよ。『口ばかり達者で何もわかっていない』って[1]」

カールは独学でさまざまなことを学び、ドイツ語のほかにフランス語と英語も話せるようになっていた。今さら学校なんかで何を教わる必要があるだろう。カールは「小さな大人」だった。他の子どもには一切興味を示さず、ひたすら絵を描き続け、異才ぶりを発揮した。「カールは私より一学年上でしたが、美術は同じ先生に教わっていました。あるときカールが、算数の先生の似顔絵を描いたんです。ナイフとフォークを手に、かたまり肉に巻かれたタコ糸を外そうと格闘している漫画風の絵でした。この絵は学校のロビーに張り出されました。よく特徴をつかんでいて上手だったので、とても印象に残っています[2]」とシルヴィアは振り返る。

カールは物事を観察し、分析した。観察眼を養いながら、うるさい大人たちや同級生を黙ってやり過ごした。シルヴィアはこう続ける。「校庭でもみんなの輪の中には入りませんでした。他の子たちとふざけることもなかったし、目立つようなこともしませんでしたね[3]」数少ない友だちのことは、悪びれることなく利用した。カールはのちに、皮肉を交えてこう話している。「自転車のそうじとか、面倒なことは全部友だちにやらせていた。でも宿題だけは別だったね。みんなひどい成績だったから[4]」

カールは、ミヒャエル・ハネケ監督の『白いリボン』[訳注1]を観たときに感じた衝撃について、こう話している。この映画では、第一次世界大戦前夜、カールが育った場所から数十キロメートルの距離にある村を舞台として物語が繰り広げられる。「私自身の体験とすごく似ていたから、とても動揺したよ。心が乱されて、観終わったあとも三日間くらい気持ちがざわついていた。私のまわりにもこの映画に出てくるようなひどい人たちがいて、私はまさにそういう環境から逃げ出してきたんだ[5]」カールの子ども時代は、この映画で語られた時代の約三十年後にあたる。数十年が経っても、人間の本質は変わっていなかったということだろう。

戦時下では、カール少年と他の子どもたちとの違いはいっそう浮き彫りとなった。歴史家のロナルド・ホルストは、その背景をこう説明している。「当時、この年頃の男の子は、ヒトラーユーゲントと呼ばれるナチスの青少年団の青少年団に参加しなければなりませんでした。急進派の若者が同年代の子どもたちを指導していて、夜の集会には全員参加が必須。休んだ者は服を脱がされ、ベルトを鞭にして叩かれるという制裁を受けたそうです[6]」カールがこの青少年団に入っていたという記録は残っていないものの[7]、ロナルド・ホルストは、義務化されていた活動にカールがまったく参加しなかったとは考えづらいと話す。「カールの学校には制服がありましたが、彼はそれを拒

訳注1――『**白いリボン**』
二〇〇九年に公開され、多数の映画賞を受賞した映画。監督はミヒャエル・ハネケ。片田舎の村でさまざまな事件が起き、人間の醜さがあぶり出されていくなか、純真無垢であることを強要される子どもたちを描いたサスペンス。抑圧された子どもたちが成長したときに何が起きるのかを暗示する内容となっている。

んで、ツイードのブレザーにネクタイという姿で登校していました。髪を長く伸ばし、小さな英国紳士のようだったそうです。当然、教師からは目の敵にされていました[8]」「他と違う行動」は「反抗のしるし」ともとれるからだ。「自分がやりたいことも、興味があることも、何もかもが他の子たちと違うことはわかっていた。まわりの人たちのようには絶対になりたくないと思っていたしね[9]」と、カールはのちに語っている。バート・ブラームシュテトの狭い社会では、カールの髪型はひんしゅくを買い、反抗の象徴とみなされた。

　カールは孤高を貫き、世間に立ち向かうための抵抗力を育んでいった。部屋に飾られたメンツェルの絵は心の支えとなり、むさぼるように読んだ本は生きるためのよりどころとなった。父親の蔵書はほとんどが宗教史の本で、面白いものではなかった。一方、書斎にこもって哲学書を読むのが好きだった母親の書棚には不思議な魅力があり、カールの心を惹きつけた。フランスの哲学者で地質学者、古生物学者でもあるピエール・テイヤール・ド・シャルダンの本があるかと思えば、ロマン・ロランをはじめとする作家の本もあった。二十世紀初めに出版されたエードゥアルト・フォン・カイザーリング[訳注2]の小説『Schwüle Tage（蒸し暑い日々、の意）』を読んだときには、衝撃を受けた。この物語には、伯爵夫人、宮廷に暮らした一人の女性、大邸宅、使用人たちが登場する。場所は少し北になるが、カールの住む地域によく似た村。バルト海沿岸のそんな片田舎を舞台に、落ちぶれていく貴族たちの物語が語られる。森、霧雨、短い夏の夜など、そこに描かれている情景はバート・ブラームシュテトのものとよく似ていた。

　この小説に漂う甘美な哀愁はカールの感じている物憂さに重なり[10]、登場人物はカールを取り巻く人々を思わせた。語り手は、父親を敬愛する一人

訳注2――エードゥアルト・フォン・カイザーリング
ドイツ・バルト海沿岸地方出身の作家。貴族の出で、滅びゆく貴族社会をテーマに、諦観や憂愁に満ちた世界を描いた小説や戯曲で知られる。当初は、あらゆる美化を否定し「真実」を切り取る自然主義文学の影響を受けていたが、次第に繊細で奥行きのある描写が増え、印象主義的な作風となっていった。

の青年。端正な顔をした父親は、乱暴になることもあれば優しいときもある。青年は、そんな父親の理解しがたい振る舞いの理由を探っていく。

　ある夏、父親のいる屋敷に滞在することになった青年は、腐敗した世界を目の当たりにして戸惑い、動揺する。そして少しの魅力も感じられなくなった貴族社会を、激しく拒絶するようになるのだ。「私の中にある生への欲求が、この謎めいた沈黙に全力で抵抗していた[11]」とカイザーリングは書いている。主人公の青年は最後に、自分を取り巻く人々が密かに共有する、「おぞましくも蠱惑的な秘密の数々[12]」を知ることになるのだった。

　カールはこの小説を何度も何度も読み返し、この本は彼の愛読書となった。物語の世界へと読み手を引き込む、印象派のような筆致。目に浮かぶ情景は、そのまま絵に描けそうなほどに鮮やかだった。もしかしたらカールは実際に、絵に描いていたのかもしれない。

　カールはさまざまな本を読み、たくさんの絵を描いた。そしてカールが、モノトーンの文字や線の世界にカラフルな色彩を持ち込み、華やぎを増したイラストを描き始めた頃、戦争は終わった。一九四七年、十二歳だったハンス＝ヨアヒム・ブロニッシュはカールと同じクラスで、いつも一番うしろの席に座っていた。ティーンエイジャーになってもカールは変わらなかった。「服装もみんなと違っていましたね。いつも白いシャツにネクタイを締めて、髪の毛はきれいに整えられていました。私たちは裸足で学校に来るような生徒でしたから、彼のことはずいぶん変わったやつだなと思っていましたよ。同級生にはよくからかわれていました。学校に友だちと呼べるような子はいなかったと思いますし、友だちをつくる気もなさそうでした。サッカーをやろうという話になっても、まったく興味を示さない。いつもそんな感じでした[13]」

　カールの髪は相変わらず長く、反旗のように風になびいた。これは問題だ。すぐに罰して、髪を切らせなければ。大人たちは話し合った。そして一人の教師に、カールの生活指導という手強いミッションが託された。当時、この年代の子どもたちはボウルカットと呼ばれるヘアスタイルをしていた。鍋やボウルを逆さまに頭にかぶせ、はみ出した髪をすべて刈り上げるという、今で言うマッシュルームカットのような髪型だ。教師はカールを呼び出し、髪を切りなさいと叱責したが、何の効果もなかった。

ロナルド・ホルストによれば、教師はこの後カールの家を訪れ、ラガーフェルド夫人に会ったのだという。「教師はこう切り出しました。『息子さんのことでお話があります。あの長い髪はいけませんね』。それを聞いたエリザベートは教師のネクタイを引っ張って彼の顔に叩きつけ、こう言ったそうです。『あら、まだそんなナチスみたいなことをやっていらっしゃるの！[14]』」

カールには、母親という頼もしい後ろ盾があったのだ。エリザベートはヒトラーやナチズムを嫌っていたし、一兵士から総統にまで上り詰めたヒトラーは、カールや母親のすむ世界とは無縁の存在だった。女性や子ども、高齢者、障害者、そしてナチス第三帝国が「国家に巣食う寄生虫」や「下等な人間」とみなした人々。そういった弱者を皆殺しにする殺戮マシンへと国家を変えてしまった、ナチスお抱えの学者や高官たちも、二人にとっては別世界の住人だった。

母の教えを叩き込まれたカールや姉たちにとって、ナチズムは断固として拒絶すべきものだった。ただバルト海沿岸地区には、ラガーフェルド家を含む一部の人々を除き、ナチズムを否定する人はほとんどいなかった。シュレースヴィヒ＝ホルシュタイン州の保守的な農村部では、ナチスのプロパガンダは田舎貴族からの解放を約束するものだったからだ。そしてラガーフェルド家は、田舎貴族の象徴でもあった。バート・ブラームシュテトの農家の息子たちは、カールに反感を抱いていた。自分たちとは違う、ラガーフェルド家の末っ子カール。あいつは本を読んだり、人形の服をつくったり、絵を描いたりする、いけ好かないやつだ、と。

エリザベートは厳しい言葉や皮肉を投げかけながらも、息子の中にある独特な感性に気づき、自分と重ね合わせていた。エリザベートもカールも、感受性が極めて鋭いのだ。終末に抗いながらも凋落の一途をたどるこの世界では、そうした性質は生きづらさの原因にしかならなかった。「母はこの片田舎で死ぬほど退屈していた。私も同じで、できるだけ早くここを出たいと、それだけを願っていたんだ[15]」カールには「他と違うところ」がいくつもあったが、エリザベートはそれを認め、後押しした。「同性愛についてたずねたとき、母はこう言っていた。『髪の色のようなものよ。人と違っていたって大したことじゃないし、何の問題もないわ』って。寛容な両親を持って、私は幸せだよ[16]」

そんなわけでカールは、両親とともにハンブルクに戻ることになった。彼らの家がある地区は奇跡的に、爆撃による被害を免れていた。

4 ディオール、パリの香り

午後九時に予定されている夜会までは、まだかなりの時間があった。ホテル・エスプラナーデの広々としたサロンにはハンブルクの上流社会の女性たちが集い、上質なラウンジチェアに座ってお茶を楽しんでいた。夫婦で参加している人もいる。一九四九年十二月。この日は有名デザイナー、クリスチャン・ディオールのファッションショーが行われることになっていた。彼がデザインした、翌年の秋冬コレクション[訳注1]が発表されるのだ。「当時、ファッションショーは一大イベントでした。ディオールは（中略）モード界を代表するスターで、数あるブランドの中でも抜きん出た存在でした[1]」とジャニー・サメは説明する。午後四時になると、ドイツの女性誌『コンスタンツェ』が主催するショーがようやく始まった。会場の視線が、次々と登場するあでやかなルックに注がれる。ドレスは足首までのロング丈。ホワイトに続いてブラックの装いが登場し、毛皮のストールや落ち着いた色合いのロングコートも披露された。華麗なステップの音を消してしまうほどに分厚い

訳注1――コレクション
ファッション業界でいう「コレクション」とは、次シーズンのファッショントレンドを提案するため、ブランドやデザイナーが開催するショーや展示会、またはその作品群のこと。現在は通常、パリで開催されるオートクチュール・コレクション（高級注文服）と、ニューヨーク、ロンドン、ミラノ、パリ、東京で開催されるプレタポルテ・コレクション（高級既製服）を指し、それぞれ年二回、春夏と秋冬（英語の頭文字を取ってS/S、A/Wと表記されることもある）に分けて発表される。シーズンに先駆けて発表されるため、秋に翌年の春夏コレクションが発表されるなど、実際の季節とずれるのが一般的。また、コレクションが発表されてから実際に発売されるまでには三～九カ月のタイムラグがある。

カーペットの上を、モデルたちが優雅に行き交い、その姿を拍手が包み込む。うっとりとそれを見つめる観客の中には、母親に連れられたカールの姿があった。

自室にこもり独学で覚えたファッションデザイン画が、目の前で生き生きと動いている。十六歳のカールは、胸を熱くしていた。美は過去のものではないんだ。どの時代においても、洗練されたものは確かに美しいのだと。ファッションジャーナリストのクロード・ブルエはこう話す。「この頃のオートクチュールのショーは、クラシカルで華やかな演出が特徴でした。かしこまった口調で番号がアナウンスされると、その番号のモデルが登場し、ツンと澄ました顔でランウェイを歩きます。格調高いイブニングドレスは壮麗で、とても手が込んでいて、洗練を極めたものでした。若いカールにとっては、まさにおとぎ話の世界。夢見心地だったことでしょうね［2］」カールも他の招待客も、何一つ見逃すまいと、食い入るようにショーを見つめていた。とはいえ、すべての衣装のディテールを目に焼き付け、頭の中で再現できるほど鮮明に覚えていたのはカールくらいだろう。カールはこの日、「昔も今も変わらぬファッションの都、パリ［3］」を目の当たりにしたのだ。ただ、この頃のカールはまだ画家か漫画家になりたいと思っていて、ファッションに興味があったわけではなかった。彼を魅了していたのは花の都パリだった。

パズルのピースが少しずつはまり始めていた。その頃、カールは痛感していた。戦争によって、第二次世界大戦前の麗しきドイツが葬り去られたことを。ゲーテや詩人らが生きた啓蒙時代のドイツは、そうすぐには戻ってこないだろうということも。ただどうやら、カールが幼い頃から夢見てきた風雅な世界は、今もどこかに存在するらしい。一刻も早く、行かなければ。フランスへ。

あとは簡単だった。「両親に『パリに行ってファッションを勉強する』と伝えたんだ［4］」心は決まった。身軽に行こう。ドイツに別れを告げ、もう振り返りはしない。初めての出発。新しい自分に生まれ変わるのだ。「昔のことは忘れてしまったよ。すべてを捨てて、ゼロからやり直す。それが私のやり方だから[5]」のちにカールはよくそう言っていた。カールは今、ページを一枚破り捨てたのだ。新しい白紙のページが、彼を待っている。

　彼はいったい何から逃げようとしていたのだろうか。同級生の嫌がらせから？　戦争で自ら名を汚したドイツという国から？　忘れようとしても一生忘れられないであろう、自分だけの小さな秘密から？とにかく、生まれ故郷のドイツについては、美しい思い出や良いところだけを記憶に留めておくことにした。カールの愛したドイツ。その柔軟さと寛容さ。それさえ覚えていればいい。スーツケースに入れるものは、数冊の本と、紙と、鉛筆。必要最小限の持ち物だけ。それと、メンツェルの絵のレプリカ。これを忘れるわけにはいかない。両親も、新しい門出を応援してくれた。パリには父オットーの事務所があったので、秘書が家探しを手伝ってくれることになった[6]。母親はというと、ハンブルクは世界へとつながる扉だけれども、普通のドアのように、出ていくことも入ってくることも自由なのよと繰り返した[7]。エリザベートは、将来息子にできることは絵を教えることぐらいだろうと思っていた。彼女にはわかっていたのだ。息子が望む人生は、この疲弊したドイツから遠く離れたところでしか叶わないだろうということが。だからカールはこのとき、母親が思い描いた道をたどっていたのかもしれない。失敗してもいい。責められることなど何もない。どうなろうと、いつでもこの家に帰ることができるのだと、そんな思いを胸に忍ばせて。

5 解放に沸くパリへ

パリに降り立ったとき、カールはまだ十代だった。戦後のパリは解放の歓喜に沸いていたが、ドイツの若者を諸手を挙げて歓迎してくれたわけではなかった。一九五二年、パリの街は汚かった。建物のファサードは黒ずみ、歩道にはゴミがあふれていた。ウィッグをかぶった公爵や、メンツェルの絵に描かれていた才気あふれる招待客に会えるとはさすがに思っていなかったけれど、パリらしいエレガンスや豪華絢爛さはいったいどこへ行ってしまったのだろう。カールは少しがっかりした。とはいえ、いつまでも肩を落としたままではいられない。負け犬だと見くびられないように、気を取り直して歩き出さなければ。

滞在先となるソルボンヌ通りのホテルに行く前に、カールはモンテーニュ通りへと向かった。地図に書かれた通りの名前を見てはパリの街に思いを馳せるという妄想を幾度となく繰り返してきたので、行き方はもうわかっている。途中、カールはじっくりと街を観察した。この背の高いファサードの奥では、文学サロン［訳注1］が催されているはずだ。あの窓の向こうでは、

訳注1――文学サロン　宮廷や貴族の邸宅に教養ある人々を招き、知的な会話を楽しむプライベートな集まり。文化人、学者、作家などが招かれ、作品を朗読したり、文学や演劇に関する議論を交わしたりした。十七世紀初めに、ランブイエ侯爵夫人カトリーヌ・ド・ヴィヴォンヌが開いたサロンがはじまりといわれる。フランスではヴェルサイユ宮殿などで、女主人が主催するサロンが開かれた。ラファイエット夫人やポンパドゥール夫人などのサロンが有名で、ヴォルテールやルソーといった啓蒙主義の思想家たちも出入りしていた。

文化人が集まって何かのサロンが開かれているに違いない。いつかきっと、カールもそこに招待されるのだ。やがてカールは、目指すディオールのブティックにたどり着いた。そのショーウィンドウは、希望あふれる未来を示すかのように、ひときわまばゆい輝きを放っていた。カールがこれから手に入れようとしているパリの街のエスプリが、すべてそこに凝縮されている。どう攻略すべきか、カールにはまだわからない。ただ、街を歩き回る時間だけはたっぷりあった。カールはこう振り返る。「とにかくよく散歩をしていたね。パリの観光ガイドになれそうなくらいあちこちを歩いたよ[1]」パリで暮らし始めたカールの唯一のよりどころは、デッサンや風刺画への変わらぬ情熱と、自分は有名になるんだという、幼い頃からの揺るぎない信念だった。

　パリに来てから通い始めたリセ・モンテーニュの、午後の授業は退屈でたまらなかった。だから昼食を済ませたあとは学校を抜け出し、ホテルのすぐそばの角にある映画館「ル・シャンポ」で過ごすことが増えた。ドイツにいた頃は、フリッツ・ラング監督のＳＦ映画『メトロポリス』[訳注2]の世界観に夢中になり、ロベルト・ヴィーネ監督の映画『カリガリ博士』[訳注3]の夢遊病患者チェザーレに魅了された。そしてここパリの映画館では、『L'École des cocottes（妾の学校、の意）』[訳注4]や『天井桟敷の人々』[訳注5]の台詞に熱心に耳を傾けた[2]。映画が終わると、観客席の明かりがつく。そしてまた暗くなり、再び映画が始まる。観客席に座ったまま、夜遅くまで映画を見続けることも

訳注2——『メトロポリス』
フリッツ・ラング監督によって一九二六年にドイツで製作され、一九二七年に公開されたモノクロサイレント映画。製作時から百年後の未来都市が舞台で、ユートピア（理想郷）の対極にある社会「ディストピア」が描かれている。この映画は以降多数のＳＦ作品に多大な影響を与え、ＳＦ映画黎明期の傑作とされている。時は二〇二六年、メトロポリスと呼ばれる未来都市では、高度な文明によって平和と繁栄がもたらされているように見えた。しかしその実態は、摩天楼の上層階に住む限られた知識指導者階級と、地下で過酷な労働に耐える労働者階級とに二極化した徹底的な階級社会だった、というストーリー。当時の資本主義と共産主義の対立を描いた作品でもある。

訳注3——『カリガリ博士』
一九一九年にドイツで製作された革新的なサイレント映画。監督はロベルト・ヴィーネ。欧州大戦後、ドイツ映画復興の先駆けとなった作品で、表現派映画の第一作として芸術的に高く評価されている。ドイツ山間部の架空の村を舞台に、精神に異常をきたした医師カリガリ博士と、その忠実な僕である夢遊病患者のチェザーレが引き起こした連続殺人が語られる。登場人物の一人であるフランシスの回想を軸にストーリーが展開するが、その内容はすべて精神病患者であるフランシスの妄想だった、というストーリー。

訳注4——『L'École des cocottes』（妾の学校、の意）
貧しい主人公ジネットはある教授の妾となり、上層階級の世界へと足を踏み入れる。しかし最後には、以前の貧しい生活のほうが幸せだったと実感する、というストーリー。

よくあった。カールはさまざまな台詞を覚え、飽きもせず何度も繰り返して、発音や話し方を練習した。モノクロ映画という究極の美の世界を教科書として、フランス語を磨いたのだった。

　カールは、夢が叶うのをじっと待っているようなタイプではない。運命に先んじて行動する人間だ。チャンスがあればすぐにつかめるように、身なりを整えておかなければならない。そこでピエール・カルダンのブティックで、深紫色のベルベットのネクタイを買った。それから父親とリヴォリ通りへ向かい、ロンドンに本店を置く老舗紳士服店ヒルディッチ＆キーで、そのネクタイに合う白いシャツを買った。パリの名門テーラー、チフォネリで、細かいチェック柄のベージュのスーツも買ってもらった。さらに、父親が泊まっていたホテル・ジョルジュサンクの向かいにある仕立て屋ドリアン・グレイで、ショーウィンドウに飾られ、道行く人々を魅了していたマリンブルーのカシミアコートも手に入れた。これでカールの準備は万端整った。

訳注5――『天井桟敷の人々』 一九四五年に公開されたフランス映画。監督はマルセル・カルネ。フランス映画史上に残る名作と言われ、数々の名台詞を生み出したジャック・プレヴェールの脚本でも知られる。第二次世界大戦中、ヴィシー政権下にあったフランスで製作された。当時としては破格の規模で作られた大作映画で、第一幕「犯罪大通り」(Le Boulevard du Crime)と第二幕「白い男」(L'Homme Blanc)の二幕構成になっている。舞台はパリの芝居小屋。ガランスという名のヒロインと、彼女を取り巻く三人の男性(パントマイム役者のバチスト・ドビュロー、モントレー伯爵、女たらしの俳優フレデリック)の関係を中心に描いた物語。

6

恐るべき子どもたち

一九五四年、道端に貼られていた一枚のポスター。そこからすべてが始まった。ウールを使ったファッションデザインのコンテスト、「インターナショナル・ウールマーク・プライズ（ＩＷＰ）」タイトルはシンプルだが、あでやかな広告キャンペーンが人目を引き、思わぬ反響を呼んでいた。このコンテストは、合成繊維の急速な普及に押されつつあるウールの価値を見直してほしいと、国際羊毛事務局（ＩＷＳ）［訳注1］が企画したものだった。熟練職人による丹精込めた手仕事や、長く愛用できる確かな品質。ウール製品には、大量生産にはない強みがある。ブルジョワ階級の人々は、ウール本来の良さを改めて評価し始めていた。そんななか、コンテストには期待を大きく上回る数の応募が集まった。数パターンのデザイン画を送るというのが、コンテストの応募条件だった。

カールは、鮮やかな黄色のコートをデザインした。愛の予感や欲望を象徴する、ラッパスイセン［訳注2］を思わせるイエロー。すっきりとしたストレートシルエットが上品な膝下丈のコートだが、肩先近くまで大きく開いたボートネック風の襟ぐりが、クラシカルな定番スタイルに大胆さとモダンな魅力をプラスする。背中側はさらに大きく開いていて、肩甲骨から腰にかけて深く切れ込んだＶ字のラインが特徴だ。作品を送ってしばらく経った頃、一通の電報が届き、カールはコンテストに応募していたことを思い出した。それは彼の作品がコート部門で優勝したという知らせだった。電報には、国際羊毛事務局のオフィスへ行き、受賞作品をデザインした本人であることを証明するように、と書いてあった。

エリゼ宮殿の近くにあるテアトル・デ・ザンバサドゥールという劇場で十一月二十五日に行われた授賞式の夜、カールは壇上で、イブニングドレス部門の優勝者と出会う。それが、イヴ・サンローランという若者だった。黒いネクタイ、白いシャツ、ダークスーツ。二人はよく似た格好をしていた。二人のデザイン画は一流メゾン[訳注3]によって仕立てられ、カールとイヴが自らの手で最後の仕上げを行った。こうして若きデザイナーのイメージ通りに仕上がった服が、受賞作品として壇上で発表された。カールにとって、自分のデザイン画を元に仕立てられた服を手にするのは初めてのことだった。写真に写ったカールとイヴは、少し緊張した様子で、ぎこちない笑みを浮かべている。イヴは十八歳、カールは二十一歳。二人の顔にはまだ、少年の面影が残っていた。このコンテストの審査員を務めたのは世界的に有名な五〜六人のデザイナーだったが、育ちがよく聡明なカールとイヴは、彼らの才能を見出した大先輩たちの前ではおとなしくしていた。審査員の中にはピエール・バルマンやユベール・ド・ジバンシィもいて、彼らのもとで働ける可能性もあった。

カールの場合は、しばらくしてピエール・バルマンから声がかかり、彼のメゾンで働くことになった。光栄なことだが、ためらいもあった。バルマ

訳注1――国際羊毛事務局（IWS）
ザ・ウールマーク・カンパニーの前身。オーストラリアやウルグアイ、南アフリカ、ニュージーランドの生産者らが設立した羊毛生産者組合。

訳注2――ラッパスイセン
スイセン属の一種で、花の中心に、ラッパのような筒状の黄色い花びらがあるのが特徴。まわりの花びらは白いものと黄色いものがある。スイセン属の学名「Narcissus」は、ギリシャ神話に登場する美少年ナルキッソスに由来する。若く美しいナルキッソスは泉に映った自分の姿に恋をしたが、叶わぬ想いにやつれ果て、その姿は水仙の花と化した。この神話は、ナルシシズム（自己愛）という精神分析用語の語源となった。

訳注3――メゾン
フランス語で「家」または「会社、商店」などを意味する。ファッション業界では、ブランド、会社、メーカーを意味し、特にデザイナーの名を冠した会社やブランドを指すことが多い。

ンは現代的なデザインで知られていたわけではなかったからだ。『エル』誌のファッションジャーナリスト、クロード・ブルエは、こう説明する。「古臭いというわけではないのですが、なんとなく大胆さや若々しさ、エスプリに欠ける印象でした〔1〕」「ピエール・バルマンも、自らのスタイルを『美しきマダム』〔訳注4〕などと呼んでいましたからね〔2〕」若いカールは、もっとトレンド感のある服をデザインしたいと思っていたはずだ。とはいえ、まずは下積みから始めて苦労を知るべきだということもわかっていた。一方イヴは、ユベール・ド・ジバンシィからの誘いを断ったあと、一九五五年にディオールと契約した。ハンブルクでカールを魅了した、あのディオールだった。

この授賞式をきっかけに、二人の若者は友情を育んでいった。この出会いは、それぞれが強めつつあった孤独感を和らげた。カールはアルジェリアから来たばかりのイヴを連れて、パリをあちこち案内した。

バルマンとディオールの本社は互いに近く、クチュールメゾンが密集する黄金の三角地帯にあった。そこは世界でも珍しい、宝石箱のように華やかな場所だった。当時ディオールで研修生として働いていたタン・ジュディチェリは、モンテーニュ通りにカールのオープンカーが停められているのを何度も見かけたという。父親から就職祝いとして贈られた高級車だった。ただ、カールは運転があまり得意ではなかったようだ。それは彼自身も認めている。「若い頃はよく運転していたけど、もうずっとハンドルは握っていない。運転しないほうが世のためかもしれないよ。知らないうちに、なぜか溝にはまったりしていたんだから〔3〕」当時のパリは、街なかでもスピードを出すことができた。シートベルトはしなくてよかったし、渋滞などもなく、信号も少なかった。

モンテーニュ通り三十番地のディオールの前に一台の高級車が停まる

訳注4――美しきマダム
「Jolie Madame（美しきマダム）」は、ピエール・バルマンが一九五二年に発表したプレタポルテ・コレクションのタイトル。その後、バルマンのスタイルを象徴する形容詞となった。翌年には同名の香水も発売されている。華やかな夜会や大人の女性をイメージしたシプレ・フローラル系の香りは、ブランドを代表するフレグランスとして人気を博した。

と、道行く人が一斉に振り向く。運転するカールのスタイリッシュな佇まいは、人々の目を引いた。タン・ジュディチェリはこう語る。「カールは、才能よりも人柄で皆を惹きつけるタイプでした。裕福に暮らしてきた人特有の余裕のようなものがあり、ダンディで、イヴ・サンローランよりずっと垢抜けていました。一瞬たりとも気を抜かず、自分のイメージを貫いていて、傍から見てもそれがわかるんです。自分のイメージやスタイルをつくり上げ、常に磨きをかけていましたね[4]」「皆の気を引くこと、それがカールの狙いでした。この頃にはもう、スノッブな良家の坊ちゃんというイメージができあがっていました[5]」こうして着々とセルフブランディングを進めていたカールは、ディオールのブティックの前に車を停めて注目を浴びながら、よくイヴを待っていた。イヴはすでに、「オートクチュール界のリトルプリンス」と呼ばれ、さまざまなメディアで特集される有名人になっていた。

ディオールのショーウィンドウはグレーとホワイトに彩られ、モノクロ映画のスクリーンのようだった。今のカールなら、店に入り、母親のためにドレスを買うこともできる。若い頃に母親と一緒に見に行った、あのファッションショーの思い出を手元に留めるために。それに今なら、ショーウィンドウに飾られている服に負けないくらい素敵なものをデザインすることもできたし、慣れた手つきでさらさらと線を描き、もっと現代的なデザインにすることもできた。いつの日か、クリスチャン・ディオールに代わるデザイナーにだってなれたはずだ。

しかしその運命はカールのものではなく、イヴ・サンローランのものだった。とはいえ、羨む気持ちはない。カールの土俵は、イヴとは違うのだ。カールはこれから、さまざまなメゾンで仕事をするだろう。ただ、いずれどこかのメゾンのヘッドデザイナーになり、独立するという、ありきたりな道を行くのは嫌だった。朝から晩まで布や針に囲まれて働き続けるような、従来のデザイナーのイメージとは違うものを求めていた。カールは知性あふれる発想力豊かな人物で、教養深く、さまざまな才能を持っている。彼を突き動かすものはアイデアであり、コンセプトであり、それらに息を吹き込みたいという抑えがたい欲求だった。身体を覆い隠すという原始的な目的のために服をつくっているわけではなかった。

カールはトゥルノン通り三十一番地に引っ越した。リュクサンブール公園に面していて、すぐ近くにはオデオン座もある。ここに決めたのは偶然ではない。彼は、いわれのある場所が好きなのだ。そこは、作家キャサリン・マンスフィールド[訳注5]が一九一二年に住んでいた家だった。彼女はD・H・ローレンスと親しく、ローレンスの小説『恋する女たち』の登場人物グドルンは、キャサリンをモデルにしたと言われている。カールは、キャサリン・マンスフィールドの作品はほぼすべて読んでいた。カール曰く、五年で「片付けた」らしい。ニュージーランドの窮屈な社会から逃げ出したキャサリンには共感を覚えていた。カールも彼女と同じように、自分らしく生きるため、自分を受け入れてくれなかった土地を去ったからだ。

カールは幼い頃から、本や言葉というものが好きだった。そちらの道へ進むこともできたはずだが、なぜそうしなかったのだろうか。「ファッションではなく言語を極めるべきだったのかもしれないけれど、ファッションほど楽しめなかったんじゃないかと思う。私には、楽しそうな道を選んでしまうという残念な癖があるんだ[6]」才能が認められるまでに長い時間がかかろうとも、カールはファッションの世界で活躍し、有名になると心に決めた。この世界で、脚光を浴びるのだ。ただし、自分らしいやり方で。

ファッション業界でのキャリアを同時にスタートさせたカールとイヴ

訳注5――キャサリン・マンスフィールド
ニュージーランド出身の作家で、主に英国で作品を発表した。自身の孤独や嫉妬、病などを反映し、人間の心の機微を巧みに描いた作風が評価されている。一八八八年、ウェリントンの裕福な家庭に生まれ、九歳には自分で書いた作品を出版。一九〇三年に英国ロンドンの学校に入学、一九〇六年にニュージーランドに戻り音楽を志すが、父親の反対によりプロの道を断念する。その二年後にロンドンに渡り、二度と祖国には戻らなかった。一九一七年には結核を発病するが、闘病中に書き始めた作品が絶賛され、高い評価を得るようになる。一九二三年、三十四歳で死去。

は、ライバルとして事あるごとに世間から比べられ、競い合う関係になっていたかもしれなかった。しかしカールには「自分らしさ」という物差しがあり、他人の基準に振り回されることはなかった。

夜になり、浮き立つような雰囲気が漂い始めると、カールは車でイヴを迎えに行く。そのうちに、カールの車にはイヴだけでなく、すらりと背が高く、黒っぽい髪色とエキゾチックな顔立ちをした若い女性も乗り込むようになった。イヴお気に入りのモデルで、クリスチャン・ディオールのミューズ[訳注6]だった、ヴィクトワール・ドゥトルロウ。カールが彼女に出会ったのは、モンテーニュ通りにあったバー・デ・テアトルだった。満面の笑み、ウールのジャケット、スポーティーで個性的なパンツ。それでいて紳士的なカールに、ヴィクトワールは新鮮な驚きを感じた。イヴに紹介されてカールに初めて会ったときのことを、彼女はこう振り返る。「カールはこう言ってくれたの。『ああ、ヴィクトワール！　君のことを知らない人なんていないよ[7]』って」その夜、三人は早速夕食を共にし、新たな友情が芽生えたのだった。

「カールは何台も車を持っていました。私が特に気に入っていたのは、フォルクスワーゲンのオープンカー。その頃私はルノーの『ドーフィン』を運転していたのだけど、比べものにならないくらい素敵だった。ディオールでデザイナーをしていたアンヌ゠マリー・プパールも交えて、いつも一緒に遊んでいました[8]」とヴィクトワールは言う。「パリ中を走って、コンコルド広場やシャルル・ド・ゴール広場のロータリーをぐるぐる回ったりして、ただ純粋にドライブを楽しんでいたんです。みんな二十歳前後の若さでしたからね[9]」

ヴィクトワールは、たいてい朝まで二人に付き合った。行き先はいつもイヴが決める。サン・ジェルマン・デ・プレ地区にあった「ル・フィアクル」は、パリの同性愛者やドラァグクイーンを中心に、セレブが集まるキャバ

訳注6――ミューズ
クリエイターにインスピレーションをもたらし、ブランドの象徴となるモデルや女優のこと。

レー&レストランだ。そこで雇い主であるクリスチャン・ディオールと鉢合わせしたときには、イヴはさすがに気まずそうにしていた。

バーでは、若くておとなしいイヴが男たちに取り囲まれている。ここで出会って別の場所へと移動し、さらに先へと関係が進むこともあった。この店は、洗練を求めるカールにはあまり合わなかった。カールが、自分に声をかけてくる人たちを追い払うのに使っていたお決まりのフレーズを、ヴィクトワールは今でもよく覚えている。「遠慮しとくよ。十分間に合っているし、どうせ使わないから[10]」カールは押し売りを撃退するときのような言い回しでナンパをかわし、面白がっていた。彼には、誰か想いを寄せている人がいるのだろうか。夜を共にし、夢や悩みを分かち合う人がいるのだろうか。誰もカールの私生活を知らなかったが、本人から聞き出そうとする強者もいなかった。カールは自身の交友関係やプライベートを、謎めいたヴェールで包み隠していた。ヴィクトワールはカールの、複雑で捉えどころのない個性についてこう話している。「イヴと他の男たちの関係は、完全に性的なものでした[11]」一方、「カールは美しいものが好きでした。自分の分身を探していたのだと思います[12]」自分によく似た誰か。この頃はまだ、カールにはそういう人はいなかった。

ともあれ、楽しい夜はまだまだ続く。若い三人は無邪気に踊り、夜更けまでクラブやバーをはしごした。

夜が明けても帰りたくないとき、三人はカールのアパルトマンに向かった。暖炉のマントルピースに置かれたキャンドルの炎が、ちらちらと揺れる。ほのかな光が、大きな鏡の横に飾られたデッサン画を照らしていた。ヴィクトワールは、イヴと一緒に床に座るのが好きだった。「私はタバコを吸っていたけど、イヴもカールも吸いませんでした。よく飲んでいたのはウイスキー。イヴは付き合ってくれるのですが、あっという間に酔っ払ってしまうんです。そしてカールは、いつもコカ・コーラしか飲みませんでした［13］」

大きなラグの上にクッションを並べて、三人で寝そべることもあった。そして寝転がったまま、おしゃべりを続けた。先の見えない将来の話ではなく、噂話や、最近起きたこと、面白いエピソードなど、今、この瞬間のことばかりを話し合った。三人は、「狂王」と呼ばれた第四代バイエルン国王、ルートヴィヒ二世［訳注7］の話も大好きだった。そんな話をするうちに睡魔がやってきて、無垢な子どものように眠るのだ。「三人で寝ても、何もなかったの。本当よ！［14］」とヴィクトワールは笑う。

二人のアーティストと、ミューズ。まるで一枚の絵画のようだった。

こうして、同じような昼と夜が繰り返された。カールは仕事をし、日が暮れるとイヴとヴィクトワールを車で迎えに行った。踊り、しゃべり、寝て、起きて働いたら、またすぐに夜の喧騒が始まる。三人は、ずっと一緒に夢を見続けた。

週末になると、思い立って海辺の町トルヴィル［訳注8］に出かけることもあった。三人とも自分で稼いでいるし、家族からの援助もある。だから気ままな小旅行を楽しめるくらい、生活には余裕があった。三人はベージュのパンツに白いシャツ、足元にはミュールというおそろいの格好で旅に出た。いつものように、運転するのはカール。今回は、ホテルを選んだのもカールだった。レ・ロッシュ・ノワールという名のこのホテルは、海に面して建てられた古い高級ホテルで、廊下はかなり傷んでいた。ここには、作家マルセル・プルーストが母親と一緒によく滞在していたそうだ。波の音に混じって、廊下を歩くプルーストの足音がかすかに聞こえた気がした。カールとイヴは、

訳注7——ルートヴィヒ二世　一八六四年、マクシミリアン二世が崩御し、第四代バイエルン国王となる。一八六五年頃から執務を放棄するようになり、幼い頃からの夢だった騎士伝説を具現化するため、ロマンティック街道にあるノイシュヴァンシュタイン城や、ヴェルサイユ宮殿を模したヘレンキームゼー城など、豪奢な城や宮殿を多数築いた。建築や音楽に破滅的浪費を繰り返し、「バイエルンのメルヘン王」「狂王」などと呼ばれた。

訳注8——トルヴィル　ノルマンディー地方、カルヴァドス県にあるトルヴィル＝シュル＝メールという町。かつては小さな漁村だったが、十九世紀初めに海水浴がブームになると、パリ周辺から観光客が集まるようになった。現在も海辺のリゾート地として親しまれている。

プルーストの小説『失われた時を求めて』から抜け出てきたような雰囲気をまとっていた。しかしこの小説に対する思い入れという点では、二人の意見はまったく異なっていた。イヴが好きだったのは、厭世観や肉体的苦痛を原動力として執筆活動を続けた、この作家のロマンチックで病的なイメージだった。一方、カールが魅了されたのは、作品に漂う哀愁でもプルーストの喘息の持病でもなく、その文体がいかに文学史に影響を与えたかという、文体論的な重要性だった。ヴィクトワールは、こうした議論にはすぐに飽きてしまう。どちらかの味方をするつもりもなかった。ただカールが、豊かな教養と優れた洞察力を持っていることはわかった。彼女はむしろ、三人はジャン・コクトーの『恐るべき子どもたち』[訳注9]の登場人物に似ていると思っていた。あの物語に登場する子どもたちと同じように、彼らも気まぐれでわがままだったから。

　イヴが一人で寝るのを嫌がったので、ホテルでは一つの部屋に集まり、いつものごとく、兄弟と妹のように仲良く眠りについた。水着になってビーチを散歩し、ランチを済ませたあとは、カールとイヴはずっとデザイン画を描いていた。しかし、いつまでも続くと思われたそんな日々は、そう長くは続かなかった。運命のいたずらにより、三人の関係にはやがて亀裂が生じてしまうのだった。

訳注9――『恐るべき子どもたち』
フランスの詩人、ジャン・コクトーの中編小説。一九二九年、アヘン中毒の治療のために入院中、三週間足らずで書き上げた。コクトーの代表作のひとつと言われる作品。舞台は第一次大戦後のパリ。両親を亡くし、自分たちだけの空想の世界に生きるポールと姉エリザベートやその友人たちが、少年期から思春期へと移行する過程で体験する、揺れ動く感情や残酷な行動、姉弟の近親相姦的な愛を、詩的に描いた物語。

7 リッツ パリで朝食を

一九五七年、クリスチャン・ディオールが心臓発作で急逝すると、メゾンは混乱した。すぐに後継者を決めなくてはならない。白羽の矢が立ったのは、アシスタントデザイナーを務めていたイヴだった。「亡くなったクリスチャン・ディオールとイヴは師弟関係にあり、弟子のイヴがその後を継ぐのは自然な流れでした[1]」「こうして『リトルプリンス』が王座に就いたのです[2]」とジャニー・サメは説明する。突如として後継者に担ぎ上げられた若く多感なイヴは、不安に駆られ、パニックになった。クリスチャン・ディオールほどの才能や、彼が築いてきた伝統を引き継げるような力量は、自分には到底ないと感じていたのだ。イヴの心を落ち着かせることができたのは彼の母親だけだった。ヴィクトワールも毎晩、イヴの家を訪れた。イヴは「大変なことを背負わされたと思い込んで(中略)ひどく怯えていたので、うまく励ましてあげなければなりませんでした。実際は何の問題もなく、すべて順調で、イヴが心配する必要なんてなかったのですが[3]」ところが、精神的にすっかり参ってしまったイヴは、その矛先を思いもよらない方向に向けた。友人であるカールを邪魔者扱いし始めたのだった。ヴィクトワールはこう振り返る。「イヴは私のことをかなり気に入っていたんです。モデルとして、ですけど[4]」イヴは抜け目なく、ヴィクトワールとの距離を縮めていった。そしてカールを蚊帳の外に追いやり、彼女を独り占めしたのだった。三人で過ごす楽しい日々は過去のものとなり、カールはまた一人で夜を過ごすようになった。とはいえ、カールもそんな状況を甘んじて受け入れたわけではなかった。

　ヴィクトワールはあの日、カールから電話がかかってきたときのことを、よく覚えているという。カールはヴィクトワールに優しく「ヴィシュヌー」と呼びかけ、明日にでもリッツ パリに朝食を食べに行かないかと誘った。

　ヴィクトワールの顔はほころんだ。私がイヴ側についたと思って、面白くなかっただろうに……。彼女はわくわくした気持ちで電話を切った。一九六〇年を目前にしたこの頃、リッツはすでにパリを代表する瀟洒なスポットとして知られていたが、そこで落ち合って朝食をとるという使い方はまだ珍しかった。

　テーブルには花が飾られ、グラスがきらめいていた。真っ白なシャツ、黒地に白い水玉模様をあしらった細身のネクタイ、センタープレスのパンツという装いのカールと、席につく。「カールは『リッツで朝食をとるのが大好きなんだ』と満足げでした。日向ぼっこにぴったりの場所を見つけた猫のようでしたよ[5]」とヴィクトワールは言う。ここリッツは、ココ・シャネルが最後の日々を過ごした場所だ。カールは通い慣れているのか、すっかりくつろいでいた。そして内緒話をするかのように、オートクチュールのメゾン、パトゥで働き始めたことをヴィクトワールに告げた。ファッションジャーナリストのクロード・ブルエはこう説明する。「ジャン・パトゥは、特に一九二〇年代から三十年代にかけて名を馳せた老舗メゾンです。カールはバルマンからパトゥに移り、デザイナーとしての仕事の基礎、裁断や仕立てに必要な縫製技術などを学びました。デザイナーといっても、デザイン画だけ描ければいいというわけではないですからね［6］」一九六〇年九月三日、「ファッションクリエイターたちのプライベートと新トレンド」と題した『パリ・マッチ』誌の取材記事に、カールの写真が掲載された。黒いセーター姿のカールは、自宅のソファのそばで、二人のモデルに挟まれて誇らしげに微笑んでいる。モデルのブリジットは緑にミンクをあしらったサテンドレス、ミシェルはぴったりとしたベルベットのドレスを着ている。カールの名は、ギ・ラロッシュやココ・シャネル、ピエール・バルマン、イヴ・サンローランと並んで紹介されていた。当時「メゾン パトゥのモデリスト［訳注1］」を務めていたカールはローランド・カールと名乗っていて、「ラガーフェルド（Lagerfeld）」という名字はまだ知られていなかった。そのため綴りを間違えられることも多く、この記事では「Largenfelt」と記載されていた。

リッツ パリの豪奢な装飾の下、ヴィクトワールはカールをじっと見つめた。彼女はカールの繊細な感性と実直さが好きだった。複雑な心の機微が見え隠れする、ヴェールに包まれたような彼の眼差しを、ヴィクトワールはよく知っていた。そしてその眼差しが時おり寂しそうに翳ることも。自分の父親がもっと若ければよかった。あんなに厳しい家庭ではなくて、もっと普通の環境で、穏やかな子ども時代を過ごしたかった——カールはヴィクトワールにそんなことを打ち明けた。ヴィクトワールは、カールの慎み深さや謙虚さも好きだった。この日、二人きりで過ごしたこの時間によって、カールについての理解がぐっと深まった気がした。カールは、イヴの成功を羨んだりしていない。改めてそう思った。「イヴが突然ディオールの後継者になったとき、カールはそれをそのまま認め、偶然だとかラッキーだなどとは一度も言いませんでした。そういう俗っぽい人ではないんです。運命には逆らえないということを、ちゃんとわかっている。カールは虚栄心の強い人ではありません。嫉妬しないというのは難しいけれど、その気持ちを追い払い、他のことに意識

訳注1——モデリスト
立体裁断をして、デザインを服として形にしていく人のこと。

を向けるようにした。カールには、そんな強さがありました。イヴは幼い頃から一貫して、一流デザイナーとして有名になることを夢見てきました。けれどカールは違いました。どこへ向かうべきかすら、わからずにいたのです[7]」

ヴィクトワールは、漠然とながら感じ取っていた。カールは自分自身の伝説を築き上げている最中なのだ。そして、栄光を手にする時がやってくるのを待っているのだと。彼女はカールをじっと見つめ続けた。二人だけのこの時間を、愛おしく思った。「カールは秘密が好きでした。この時間はカールと私だけのもの。一瞬、一ミリたりとも、イヴの存在を感じさせない時間でした。そしてこの秘密は最後まで、イヴに明かされることはありませんでした[8]」

カールは以前、イヴと一緒にモブージュ通りに赴き、ターコイズブルーの眼をした占い師に見てもらったことがある。占い師は、イヴに劇的な成功が訪れると告げた[9]。そしてカールについては、「他の人の歩みが止まるとき、すべてが始まる[10]」と予言した。占い師は、カールが「同じもの」をたくさん手掛けることになるだろうとも言った。カールはその意味について思いを巡らせてみたが、結局、答えを探すのをやめた。時が経てばわかる。焦る必要はないのだ。

8

幻影を追い求めて

一九六〇年代初め、カールは相変わらずパリのリヴ・ゴーシュに住んでいた。以前住んでいたオデオンの家よりもセーヌ川にぐっと近い、ヴォルテール通り。メンツェルの絵の中でフリードリヒ二世とともに食卓を囲んでいた、あのヴォルテールの名がついた通りだ。カールの住む建物には、他にも著名人が「棲んで」いた。「左手には、ココ・シャネルがミシア・セール［訳注1］と知り合ったアパルトマンがあった。同じ頃、その建物にはバレエ団を主宰するマルキ・ド・クエバス［訳注2］も住んでいて、団員たちの溜まり場となっていた［1］」とカールは言う。過去の名残が、幻影のように漂う場所だった。

実体か、虚構か。ありのままの自分を見せるべきか、見せかけの鎧をまとうべきか。パリに暮らし、成功への道を歩むなかで、この問いはドイツにいた頃よりも大きな意味を持つようになっていた。とはいえカールは、ずっと前からその答えを知っている。あの邸宅に両親と暮らしていた頃から、カールはすでに「小さな大人」を演じていたのだから。真の姿と見せかけの

訳注1――ミシア・セール
フランス社交界の華、「パリの女王」と呼ばれたポーランド系ピアニスト。一八七二年三月三十日にロシア・サンクトペテルブルク郊外で生まれ、一九五〇年十月十五日、パリで死去。多くの芸術家のパトロンや友人となり、作品のモデルを務めたり、パリで芸術サロンを主催したりしていた。パリの自宅にはマルセル・プルースト、クロード・モネ、クロード・ドビュッシー、アンドレ・ジッド、モーリス・ラヴェルといった文化人が集い、ルノワールやロートレックの絵のモデルになったり、プルーストの小説『失われた時を求めて』の登場人物のモデルにもなった。ココ・シャネルとは女優セシル・ソレルの家で出会い、長年の親友となる。二人は強い絆で結ばれ、さまざまなことを共有した。

姿は表裏一体だ。だから、本当の姿を隠すための仮面が必要となる。自分を観察する者を、こちらからも観察するための盾として。こうしてカールは頻繁にサングラスをかけるようになり、その視線は黒いレンズの向こうに隠された。だが当時は、街なかで濃い色のサングラスをかけている人は珍しかった。「あの頃はまだ、サングラスを外したカールの姿を見かけることもありました。とてもきれいな眼差しで、南欧や中東の人のような、まつげの長い、優しい目元でしたよ。彼が目元を隠しているのは、そのせいじゃないかとも思いました。カールは大胆不敵なヴァイキングやプロイセン人のように振る舞っていましたが、彼の容姿には、そういったワイルドさはありませんでしたから[2]」とタン ジュディチェリは言う。

この頃から、カールはよくカフェ・ド・フロールの赤いベンチソファに座るようになった。創業当初からさまざまな偉人が足繁く通い、そのエスプリが今なお漂うこのカフェは、彼のお気に入りの場所となっていた。フリードリヒ二世の居城だったサンスーシ宮殿の、控えの間にいる気分だったのかもしれない。カールは、新聞や本を買うときはいつも、同じものを数部ずつ買った。人にあげたり、切り抜いたりするからだ。それらに目を通すことで、世の中のあらゆることを感じて、すべてを知り、すべてを見通しておきたかった。また、人間観察をしながら街のスタイルや空気感をチェックし、トレンドを把握しておきたいと思っていた。視線を隠す黒いレンズのおかげで、行き交う人々を心置きなく観察することができる。新聞や雑誌を読むときは、サングラスを頭の上に乗せていた。緩やかに波打つ黒髪と少し尖らせたような唇が、彼の魅力をさらに際立たせ、人を惹きつける。

毎朝、サン・ジェルマン・デ・プレのカフェ・ド・フロールへと足を運ぶ。それがカールの日課となっ

訳注2——マルキ・ド・クエバス チリ出身のバレエ団主宰者。一九四三年にバレエ・インターナショナル、一九四七年にヌーヴォー・バレエ・ド・モンテカルロを結成。一九五〇年にマルキ・ド・クエバス・バレエ団と改称。パリを拠点として世界をめぐり、国際色豊かなバレエ団として知られた。同バレエ団は一九六二年に解散した。

た。隙のない装いに身を固めたカールの姿は、独特の存在感を放ちつつも、このカフェの風景の一部となっていった。やがてカールについての噂が、本人の耳にも届くようになった。ファッション誌から抜け出てきたような、あの若いドイツ人はいったい誰？　贅沢な暮らしをしているようだけど、どこから来て、パリで何をしているんだろう？　そしてこれから、何をやろうとしているのだろう？「カールは、映画に出てくるようなパリの暮らしを望んでいました。白いロールス・ロイス、シャンパン、マキシムでのランチ。そういったものに象徴されるパリを思いのままに謳歌する主役、いわば『王』の役柄を演じたかったのでしょう[3]」のちにカールの右腕となるヴァンサン・ダレはそう説明する。カールが求めたのは、フランシス・スコット・フィッツジェラルドの小説『華麗なるギャツビー』[訳注3]で、「絶えず過去へ過去へと運び去られながらも、流れにさからう舟のように、力のかぎり漕ぎ進んで[4]」いった主人公、「華麗なる王、ギャツビー」の生き方だった。自身の過去については沈黙を貫いたため、突拍子もない噂が飛び交った。無声映画の黄金期に活躍したドイツ人女優の息子だとか、養子だとか、父親から莫大な遺産を相続したのだとか、ジゴロたちと一緒に筋トレをしているのを見かけたとか。カールは構わず、言わせておいた。彼のまわりには、幼い頃に暮らした屋敷に立ち込めていたあの濃い霧が、今も変わらず漂っているのだ。カールは、自分の存在を曖昧にぼかしてくれる美しく謎めいた霧を育て、鎧としてまとった。そしてその堅牢な鎧の内側に、自分の生い立ち、感情、秘密を隠したのだった。カールの本来の姿は、彼の意思でしか外すことのできないかりそめの仮面の向こうに隠されて、近づくことはできない。そしてそこにこそ、人を惹きつけてやまない

訳注3——『華麗なるギャツビー』
一九二五年に出版された、米国の作家F・スコット・フィッツジェラルドの小説。フィッツジェラルドの代表作であり、アメリカ文学史に残る傑作とされている。戦後のニューヨークで成り上がっていく田舎青年の軌跡と、虚栄に満ちた人生の儚さを、一抹の皮肉を交えながら描いた作品。日本では『グレート・ギャツビー』『偉大なギャツビー』といった邦題で複数の訳書が刊行されている。主人公のジェイ・ギャツビーは禁酒法時代のアメリカで酒の密輸に手を染め、若くして富を得る。大邸宅に住み、夜な夜な豪華なパーティーを開いているが、ギャツビーについて詳しいことを知る者はほとんどおらず、彼の過去についてはさまざまな流言飛語が飛び交っていた。しかしやがて、ギャツビーが長年胸に秘めていた、ある女性への一途な想いが明らかにされていく。

彼の魅力があるのだ。

カフェ・ド・フロールの正面にあるブラッスリー・リップでランチをとったあと、セーヌ川に浮かぶ水上プール「ドゥリニィ」に行くこともあった。カールは数人のモデルとともに、水着姿で肌を焼いたり、泳いだりした。注目を浴びるのも楽しみのひとつだ。そんな彼のところに「飛び込んで」きたのが、フランシス・ヴェベールだった。のちに映画監督として活躍する彼も、当時は兵役に就きながら映画の世界を夢見る若者にすぎなかった。カールを取り巻くパトゥのモデルたちに目をつけた彼は、こんな風に彼らに近づいた。「ハーレム状態のカールの後ろに忍び寄ってから、寝そべっている彼にわざとつまずいて、派手につんのめってみせたんだ。それで『失礼！　君のモデルたちとお近づきになりたくて』と声をかけた。それを聞いてカールは笑い、僕たちはおしゃべりを始めた。絵に描いたような好青年だったよ[5]」フランシスは、カールの深い教養と、彼が語るラガーフェルド家の物語に圧倒された。ドイツ北部の裕福な家庭に生まれた、一人の子どもの物語。カール・ラガーフェルドの伝説が、すでに紡がれ始めていた。骨組みとなるのは、数多の本、豊かな富、揺るぎないスタイル、そして謎めいた雰囲気。あとはそこにドラマチックな肉付けをして、壮大な物語を練り上げていけばよかった。

9 日陰の花

カールは昇進し、ジャン・パトゥのアーティスティック・ディレクターに就任した。デザインを統括する立場になったとはいえ、理想とする人生にはまだ遠く及ばない。しかも、死ぬほど退屈していた。年二回発表されるコレクションの時期以外は時間を持て余していたので、パーティーをしたり踊りに出かけたり、ボディメイクに励んだ。ボディビルが一般に浸透するずっと前から、カールはいち早く筋トレに取り組んでいた。

一九六二年には、イヴ・サンローランが自身の名を冠したオートクチュールメゾンを立ち上げ、ファーストコレクションを発表した。このとき共同創業者としてメゾンを誕生させたピエール・ベルジェ［訳注1］は、ビジネスパートナー、そして恋人として、長年イヴを支え続けることとなる。こうしてイヴは成功の階段を駆け上がっていったが、カールは意に介さなかった。カールの目指すものは、別のところにあったのだ。

その頃、ファッション業界は転換期を迎えていた。カールには、その流

訳注1――ピエール・ベルジェ

フランスの実業家（一九三〇〜二〇一七年）。主にオートクチュールの世界で活躍し、フランス服飾芸術連盟会長やパリ国立オペラ座の名誉総裁を務めたほか、一九八六年には服飾学校「Institut Français de la Mode（ＩＦＭ）」を設立した。

一九六一年、ディオールを去ったイヴに出資してメゾン「イヴ・サンローラン」を設立。私生活でのイヴとの関係は七〇年代後半に破綻していたが、二〇〇八年にイヴが他界するまでビジネスパートナーとしてサポートし続けた。晩年はイヴ・サンローランの遺産を後世に伝えることをライフワークとし、二〇〇〇年にピエール・ベルジェ＝イヴ・サンローラン財団を設立。フランス・パリとモロッコ・マラケッシュに開館するイヴ・サンローラン美術館の準備を進めていたが、オープンを目前に控えた二〇一七年九月、故郷のフランス南部サン＝レミ＝ド＝プロヴァンスにある自宅で死去した。

れに乗ることによって独自の存在感を示していけるかもしれないという予感があった。オートクチュールと呼ばれるオーダーメイドの高級注文服は、勢いを失いつつあった。「プレタポルテ、つまり既製服の歴史は、一九五〇年代に遡ります。当初は『コンフェクション』と呼ばれており、オートクチュール・コレクションの発表から半年後に、そのデザインを真似たモデルをつくって手頃な価格で売っていました。その後、既製服を手掛けるメゾンはこのカテゴリーをワンランク引き上げて、新しいプレタポルテを生み出すべきだと考えるようになりました。そしてデザイナーと手を組み、より質の良い高級既製服を生産するようになったのです[1]」とクロード・ブルエは説明する。カールは、こうして独自の道を歩み始めたプレタポルテの商機を逃さず、そちらの新しい世界へと進むことにした。そしてこう考えていた。どうしてもクロエで働きたい、と。クロード・ブルエはその理由について、こう説明している。「クロエは、高級プレタポルテの草分けとなったメゾンです。カールはそれを知っていたのですね[2]」

　そこでカールは、クロエの創業者であるギャビー・アギョンと共同経営者のジャック・ルノワールに会いに行った。ヘッドデザイナーだったジェラール・ピパールがメゾンを去りニナ リッチに移籍したあと、クロエでは数人のデザイナーを育成してデザインを任せていた。アギョンとルノワールは、メゾンのデザイナーが他のブランドの仕事をすることを快く思わなかった。タン・ジュディチェリは、自身の体験をこう話す。「私はクロエでデザイナーをしていたのですが、そのかたわら、他の仕事もたくさん引き受けていました。ルノワールはそれが気に入らなかったらしく、長くは働かせてもらえませんでした。デザイナーは専属にしておきたかったようです[3]」カールは、自分はこのメゾンにふさわしい理想的な人材だから雇ったほうがいいと、クロエの経営者二人を口説き落とした。そして一九六四年、クロエのデザイナーとして契約を結んだのだった。長年お針子［訳注2］として働いてきたアニタ・ブリエは、二十歳前後のカールと初めて会ったときのことを、こう振り返る。「端正で魅力的で、優しくて気さくで、誰に対しても気配りのできる人でした。他人に気を遣わせないんです［4］」

カールは、次から次へと湧いてくるアイデアを自宅で練り上げ、数百枚のスケッチに描き起こして、経営者のギャビー・アギョンに見せた。彼女はカールの才能にすっかり惚れ込んだ。二人は美的な感性をぶつけ合い、作品を昇華させていった。カールは作品づくりに情熱を注ぎ、細部にまでこだわり抜いた。休みも取らず、他の誰よりも働いた。仕事場のデスクいっぱいに並べられたカールの多彩なデザイン画は、アトリエで働くスタッフたちをも魅了した。デザインが完成すると、アトリエのお針子たちが服に仕立てていく。その前にカールがデザインの説明をするのだが、理解するにはかなり集中して聞かなければならなかった。アニタ・ブリエは、当時の様子をこう語る。「彼のやり方についていくのは大変でした。カールの説明を聞いたあとアトリエに戻り、『ああもう、何が言いたいのかよくわからなかったわ。早口なんだもの』とよく嘆いたものでした。でもデザイン画を見ると、細部まですべて、ちゃんとわかるように描かれているんです。カールのデザイン画は、肩と腰のラインをささっと描いただけの簡単なものではありません。胸元のカッティングやダーツなど、必要に応じて、あらゆるディテールが驚くほど細かく記されていました［5］」トルソー［訳注3］を使い、お針子が立体裁断で仕上げた試作品が、デザイン画と違ってしまうこともあった。そんなときでもカールはきちんと向き合い、あっという間に解決策を見つけてしまうのだった。

一九六五年のある日の午後、カールはヴィクトワール・ドゥトルロウの家にいた。自らもプレタポルテのデザインを始めたヴィクトワールが、初めて

訳注2――お針子
メゾンに雇われてアトリエ（縫製部門の工房）で縫製を担当する職人のこと。

訳注3――トルソー
頭部や腕、脚のない、胴体だけのマネキンのこと。「ボディ」とも呼ばれる。洋裁で立体裁断をする際などに使用するタイプは、針が刺せるよう布張りのものが多い。店舗で使うディスプレイ用もある。

発表するコレクションの仕上げを手伝って欲しいと、カールをフォッシュ通りの自宅に呼んだのだった。かつてかけがえのない時間を共有し、絆を育んだ二人は、再会を喜び、おしゃべりに花を咲かせた。そして自分たちの現在の仕事やキャリアについて、あれこれ話し合った。当時カールはクロエのデザイナーをしていたが、彼の名前は一切公表されず、クロエの服のラベルに記されることもなかった。ヴィクトワールはカールが日陰で我慢していることに驚き、こう焚き付けた。「『Karl for Chloé』って、名前を入れてもらいなさいよ[6]」カールが手掛けたコレクションが「カール・ラガーフェルドの作品」として発表されることはなかったが、それは他のデザイナーも同じだった。野心の問題ではなく、当時はそれが当たり前だったのだ。「ジェラール・ピパールがクロエを去ったあと、メゾンのコレクションは四、五人のデザイナーが制作していましたが、作品を手掛けたデザイナーの名前が公表されることはありませんでした[7]」と、クロード・ブルエも言う。ただカールは、こうした匿名性はむしろメリットだと思っていた。ブランドを盾に裏方として活動すれば、自分の立場は守られるし、さまざまなスタイルのデザインを手掛けることができる。一つのイメージに縛られることもない――どこにも属さない。誰のものでもない。いたるところに、同時に存在できるという、ユビキタスな生き方。仮面をつけたままそんな自由を謳歌し、歩みを進めたい。あともう少しだけ。

10 両親の呪縛

パリで活躍する息子のことを、カールの両親は誇りに思っていたのだろうか。父オットーは、金銭面ではカールを常にサポートしてくれたが、一人前になったはずの息子について、実際のところはどう思っていたのだろう。母エリザベートは、家を出てフランスで勝負してきなさいと、カールの背中を押してくれた。彼女は今、さまざまなメゾンで活躍を続ける息子の姿に満足しているのだろうか——理解ある温かい両親に見守られ、恵まれた境遇にいたように見えるが、カール本人に言わせればそう単純なものではなかったようだ。

離れて暮らすようになっても、母親の毒舌は止まなかった。「私の二十四歳の誕生日に（母親が）電話をかけてきて、こう言ったんだ。『あ、そうそう。二十四歳を超えたら、もうこの先はずっと下り坂よ。せいぜい覚悟しておきなさい。もう若くないんだから観念するのね』って[1]」カール曰く、エリザベートはファッションや流行に敏感な人だったのに、カールのコレクションショーを見に来たことは一度もなかったという。どうやら、息子がデザイナーになったことを喜んでいたというわけではなさそうだ。父オットーにいたっては、末っ子カールが何をしているのか、はっきりと知らなかった可能性さえある。

カールはのちに、「父は自分のことを唯一無二の天才だと信じていたから、他のことには一切興味がなかった[2]」と話している。そこには、カールのやるせない思いも感じられる。彼の父親は自らの足で販路を開拓して事業を拡げ、それを誇りに思っていた。カールがファッションの世界で、すでに確立された道とは違う新しい道を選ぶことにしたのは、そんな父親の生き方とも関係しているのかもしれない。「ラガーフェルドと名のつくメゾンを立ち上げても、父と母は満足しなかったと思う。うちの両親は、ハンブルクの街なかに店を構える小売業者について、軽んじるようなことを言っていたからね[3]」そう、彼らにとっては、オートクチュールのメゾンやブティックを所有することなど、大したことではないのだ。あなたは、目の前に広がるありきたりな世界の枠に収まるような人間じゃない。もっと価値のある人間だ。カールの両親は暗に、そんなメッセージを伝えようとしていたのかもしれない。いずれにせよカールの父親が、息子のその先の運命を知ることはなかった。

　エードゥアルト・フォン・カイザーリングの小説『Schwüle Tage（蒸し暑い日々、の意）』では、終盤の夜のシーンで、語り手の青年が清らかで汚れのない世界から突如として引きずり出され、現実を突きつけられる。屋敷の敷地内の森を歩いていた青年は、地面に倒れて亡くなっている父親を発見する。薬物依存の末に、モルヒネの過量投与で死んだのだ。父親の遺体は、広い屋敷の一室に安置された。小説にはこう書かれている。「棺に入った父のいる部屋に入ったときの、第一印象はこうだった。『こういう死に方も悪くはないな』[4]」カールの場合はこの青年と違い、父親の死に立ち会うことはなかった。死んだ父親の亡骸を見つめながらじっくりと思いを巡らせて、涙を浮かべながらも日常に戻っていくという、別れの儀式ができなかった。「母から父の死を知らされたのは、亡くなってから三週間後のことだった。いや、構わないんだ。葬式には参列しないことにしているから。それ以外の、盛大な式典のたぐいは大好きなんだけれどね[5]」

両親の近況でもたずねようと、たまたまかけた電話で、カールは父親の死を知ったのだという。オットー・クリスチャン・ルートヴィッヒ・ラガーフェルド男爵は一九六七年七月四日、真夏のドイツで永眠した。享年八十五。いつものように新聞を読んでいるときに亡くなったらしい。夫の死に際しても、エリザベートの言動はちょっと変わっていた。思い出話ひとつすることなく、過去を振り返って泣いたって何の役にも立たない、前を向いて進みなさいと、ここでも訓戒を垂れたのだった。そして子どもの頃からそうだったように、このときもカールが母親に反論するようなことはなかった。カールは父の死を、ただ淡々と受け入れた。

ラガーフェルド親子の関係性にまつわるエピソードからは、理性と感情との絶え間ないせめぎ合いがうかがえる。そして結局、理性が優先され、感情は極力排除されるのだ。オットーの死後しばらくして、エリザベートは家族で過ごした邸宅を売り、カールが使っていた子ども部屋の家具をパリに送った。それを受け取ったカールは、机の中にしまっておいたはずの、自分の日記がなくなっていることに気がついて愕然としたという。「机の引き出しに日記が入ってなかった？　と母に聞いたら、おまえの間抜けぶりをわざわざ皆に知らせる必要なんてないでしょう、と言われたんだ。母は他人の日記をぜんぶ読んで、勝手に処分してしまったんだよ〔6〕」カールにしてみれば、そんなエピソードですら驚くにはあたらない。いつものことだ。どうってことはない。エリザベートは、自身の信条の通りに生きているだけなのだから。それにカールが敬愛する作家カイザーリングは、死ぬ前に自らの手で、すべてを燃やしてしまったというではないか。

そうした仕打ちにもかかわらず、カールは夫に先立たれた母親をパリの自宅に呼び寄せた。そしてユニヴェルシテ通り三十五番地の新しいアパルトマンで、母親と一緒に暮らし始めた。ドイツから届いた小さなベッドと机、肘掛け椅子を置くと、あの頃のカールの部屋が蘇ったかのようだった。懐かしい家具が再び揃ったことで、過ぎ去りし子ども時代のサンクチュアリへとつながる、目に見えない扉が開かれたような気がした。

11 時代のベクトル

クロエのプレタポルテを担当することになったカールは、オートクチュールにも匹敵するこだわりと情熱を注ぎ、コレクションを発表するたびにメゾンのイメージを一新していった。クロード・ブルエはこう説明する。「カールは服のデザインを大きく変えるのではなく、不要なものを大胆に取り除いてミニマルにしていきました。オートクチュール特有の贅沢な生地の使い方を見直し、裁断の無駄をなくしたのです。フランネル、カシミア、クレープデシン[訳注1]などの上質な生地を使い、コートやジャケット、イブニングドレスといったアイテムをシンプルなカッティングで仕立てて、ピコット刺繍の縁飾りをあしらいました。女性のことを考えた、本当に着心地の良い服でした[1]」

クロエの売り上げはぐんと伸びた。「カール・ラガーフェルドとの出会いは、ギャビー・アギョンにとってこの上ない追い風となりました。カールはメゾンを蘇らせ、それまでにはなかったオリジナリティや女性らしさ、可憐さをもたらしたのです。カールはメゾンの恩人であり、守護神でした[2]」とジャニー・サメも言う。のちにカールのアシスタントとなるエルベ・レ

訳注1——クレープデシン
中国産の縮緬（ちりめん）を模してフランスで生産された平織り生地のこと。表面に細かいシボがあり、しなやかで軽い薄地のため、フォーマルなブラウスやワンピース、スカーフ、裏地などに使用される。元々はシルクが使われていたが、現在は合成繊維も広く用いられている。

ジェ〔訳注2〕によれば、カールは朝から晩まで働いていたという。誰よりも先にアトリエに来て、帰るのは一番最後。また、他のデザイナーのスタイルを観察し、自分のものとしてうまく取り入れてもいた。エルベ・レジェはこう説明する。「キャビー・アギョンは、カールがクロエにとってかけがえのない存在であることに、すぐに気づきました。他のデザイナーを雇い続ける理由はもはや見当たりませんでした[3]」メゾンのデザイナーは、一人、また一人とメゾンを去っていった。

ヴィクトワールの一言が効いたわけではないだろうが、クロエのコレクションにはようやく、カールの名が入るようになった。ソニア・リキエルやエマニュエル・カーン、ドロテ・ビスなど、若いクリエイターが自身のプレタポルテブランドを次々と立ち上げていた時代だった。「クロエの、ただ一人のデザイナーになりたい。カールはその望みを叶えました。才能と知性を活かして他のデザイナーを引き離し、ついに独走を始めたのです[4]」と、クロード・ブルエは説明する。

一九六〇年代終盤から一九七〇年代初頭にかけて、メゾンクロエはカールの手掛けたコレクションを毎シーズン発表し、そのイメージは軽やかさを増していった。ヴァンサン・ダレは、カールのスタイルについてこう語っている。「ボディラインに寄り添うジャケット、花柄のブラウスなど、カールの生み出すレトロスタイルは映画の世界を彷彿とさせるものでした。当時、映画はとても重要なカルチャーで、カールもそこから多くのインスピレーションを得ていたのです。彼が表現したのは、自由でロマンチック、かつエキセントリックな女性像でした[5]」

カールは、映画黄金期の無声映画を上映していたシネマテーク・フランセーズ〔訳注3〕を頻繁に訪れて

訳注2——エルベ・レジェ
本名エルベ・プニェ。カールのアシスタントを務めるなど、デザイナーとして活動したあと、一九八五年に自身のブランド「エルベ・レジェ」を創業。本名をブランド名にすると「プニェ」が発音しにくいとカールに指摘され、「レジェ」とした。その後同ブランドを売却し「エルベ・レジェ」の名が使用できなくなったため、二〇〇〇年に自分の名をエルベ・L・ルルーに改名した。この「ルルー」という名は若い頃のニックネームが由来で、これもカールの助言に従ってつけたものだという。

によって領地を広げ、「日の沈まぬ帝国」を築き上げた。

は、映像の世界に没頭した。さまざまな素材や色を駆使し、アシンメトリーなシルクペイントをデザインに取り入れた。当時からカールを知るパトリック・ウルカード［訳注4］はこう分析する。「カールは本や雑誌、オブジェ、花瓶、ジュエリーなど、さまざまなものから着想を得て、幻想的で独創的なデザインを生み出していきました。余計なものを省き、デザインを見直し、配色を変える。そういった微調整を絶えず繰り返すことで、あの大胆で美しいプリント柄が誕生したのです。ブラウス、シャツジャケット、ストール、ワンピース、コート、ジャケット、パンツ……。クロエの新しいスタイルは、カールの素養があってこそ生まれたもの。教養に敵なし、ですね［6］」

クロエのランウェイは、鮮やかな色彩と動きに満ちていた。白いロールス・ロイス、シャンパン、マキシムでのランチ。華やかなパリの象徴はもう、すぐ手の届くところにある。カールのビジョンが、ついに形を成しはじめていた。

コレクションが話題になったことにより、カールはメゾンのデザイナーとして世間に注目され、良くも悪くも評価される立場となった。持ち前の才能と明敏さに加え、社会的地位を手に入れたのだ。カールはこれを武器にメゾンと交渉し、より柔軟な契約へと切り替えることに成功した。こうして専属契約から解放された彼はフリーランスのデザイナーとなり、他のメゾンとも次々に契約を交わしていった。「雇用者でもないし従業員でもない、どこにも属さない存在になったんだ［7］」とカールは言う。新しいコレクションを発表するたびに、彼はクライアントであるメゾンの本質を掘り起こし、さら

訳注3——シネマテーク・フランセーズ
映画作品や資料の保存、修復、上映を目的とする、パリの文化施設。開館当初はパリ八区にあったが、その後移転を繰り返し、現在は十二区のベルシーにある。四万本以上の映画作品や、映画にまつわる資料や物品を所蔵する。フランソワ・トリュフォーやジャン＝リュック・ゴダールなど、のちに有名になった監督らも若い頃にここに通っており、クリエイターの出会いの場となっていた。

訳注4——パトリック・ウルカード
建築史家として活動していた一九七五年にカールと出会い、長年の親友となった。『ヴォーグ パリ』のアートディレクターなどを経て、現在は写真や舞台、映像などを手掛けるクリエイターとして活躍している。

にそれを昇華させた。「カールは複数のブランドを掛け持ちしていましたが、それぞれのアイデンティティを個々別々に表現することに長けていました。豊かな教養と頭の回転の速さを持ち合わせていたからこそ、できたことです[8]」とヴァンサン・ダレは評している。

カールが契約したブランドの中には、毛皮工房として創業したイタリアの有名ラグジュアリーブランド、フェンディ[訳注5]もあった。カールはある時ふと思いついて、「Fun Fur」[訳注6]の頭文字である二つの「F」を互い違いに組み合わせたデザインを描いてみた。現在も使われているフェンディの「FFロゴ」は、そんなカールの何気ないデッサンから生まれたのだった。カールは、毛皮を布地のように操った。かつてないほどに柔軟な発想で新たなフォルムを生み出し、ファーコートの印象をぐっと軽やかにしていく。イタリアで仕事をするときは、フェンディ姉妹が用意してくれたローマのアパルトマンに泊まった。アトリエのスタッフたちは、すべての準備を整えてデザイナーの到着を待つ。カールは作品をチェックし、指示を出して、去っていく。いくつものオフィスを行き来し、飛行機で各地を飛び回り、数々のクライアントを相手に、さまざまなスタイルや素材を使い分ける。目まぐるしい日々だった。この頃のカールについて、エルベ・レジェはこう話している。「フェンディで毛皮のイメージを刷新したかと思えば、クロエではレースを多用し、女性らしくロマンチックなコレクションを提案し続けました[9]」こうして動き出したカール独自のメカニズムは彼のライフスタイルそのものとなり、決して動きを止めることはなかった。

カールが手掛けるプロジェクトの数はますます増え、高く評価されるようになった。カールは毎回、クライアントの期待に応え、結果を出していく。あのビッセンモールの子ども部屋で感じていた、自分の世界にこもって一心

訳注5――フェンディとの契約
カールとフェンディとの契約は、一九六五年からカールが亡くなる二〇一九年まで続いた。ファッション業界で最長の契約期間と言われている。

訳注6――Fun Fur
「ファー（毛皮）を楽しもう」という意味。カールが考えたスローガンのようなもので、この頭文字がフェンディのロゴとなった。

不乱に絵を描くことの喜び。今、仕事に取り組むカールの胸にも、それと同じ喜びが満ちていた。猛烈な働きぶりだったが、分身でもいるのかと思うほど、カール本人は平然としていた。カールにしてみれば、やるべきことをただテキパキと効率よくこなしているにすぎなかった。

12 伝説のはじまり

カールがパリに来てから十五年が経ち、一九六〇年代も終わりに差し掛かる頃、彼の名はすでに広く知られるようになっていた。メディアが「Karl Lagerfeld」の綴りを間違えることもなくなり、カールを追ったドキュメンタリーや密着取材、インタビューの数も急激に増えていった。近頃フランスで話題になっている、あのドイツ人クリエイターはどういった人物なのか？　メディアはカールに興味津々だった。

一九六八年五月、パリは五月革命［訳注1］の真っ只中にあった。すぐそこで学生たちが巨大なバリケードを築き、ゼネストが激しさを増すなか、カールは自宅のアパルトマンで静かに腕を組み、女性向けの人気テレビ番組「Dim Dam Dom」［訳注2］の取材を受けていた。男性用下着を特集する回とのことだった。クリーム色のスーツの下に白いタートルネックを着たカールは、黒々とした髪を横分けにし、もみあげを長く伸ばしている。足元にはベージュのロングブーツ。白いカウチソファに脚を伸ばして、ゆったりと座っている。ファッションの専門家として出演したカールは、穏やかだが芯の強さを感じさせる眼差しでインタビュアーを見つめ、この日のテーマ「下着」についての見解を歯切れよく説明していく。人を納得させるには、話す時の態度が肝心だ。「私に言わせれば、下着はれっきとした服。『下』という字をつけるなんて失礼なくらいですよ。下着も、他の服と同じくらい着心地の良いものでなければなりません[1]」堂々と話すカールの言葉には説得力があり、どんな質問にも的確に答えてくれそうだった。

三十七歳になったカールは、「数カ国語を操りグローバルに活躍する人物[2]」と評されるようになった。二十前後のブランドと契約し、「年間二千点近い服や小物[3]」をデザインしていた。世界でも類を見ない独自の働き方は目新しく、お昼のニュース番組でも取り上げられた。一九七〇年四月、カールは再びニュース番組の取材を受け、自宅のオフィスで仕事をする様子が放送された。カールはカメラの前で、「カール・ラガーフェルド」という人物を演じる。男性モデルに指示を出すカールは、髪を長く伸ばし、黒っぽい服を着て、大きなサングラスをかけている。この頃はまだ、レンズを通してうっすらと目元が見えていて、その表情には以前と変わらない優しさがにじんでいた。そしてその優しい目元とは対照的な、自信に満ちた態度で、彼はこう語った。「高価なドレス、手頃な価格のワンピース、セーター、スイムウェアなど、さまざまな作品を手掛けてきましたが、ひとつとして同じものはありません。毎回、世界でただひとつのデザインを提案するようにしています[4]」それから二年後の一九七二年一月には、人気キャスターのイヴ・ムルジが司会を務める番組にも出演した。カールはそこで、女性歌手ダニ[訳注3]をモデルとしたイメチェン企画に取り組んでいる。当時流行していた「ヴァン

訳注1——五月革命
一九六八年五月、フランスのパリを中心に発生した反体制運動。「五月危機」とも呼ばれ、ド・ゴール体制（第五共和政）を揺るがせた社会危機として知られる。大学制度改革に反対した学生運動が発端だったが、労働者を巻き込んだゼネストに発展し、フランスは完全に麻痺状態に陥った。五月十日には「解放区」となっていたカルチエ・ラタンで学生と労働者が巨大なバリケードを築き、警察隊と激しく衝突。一帯を占拠した。ド・ゴール大統領が議会解散と総選挙を約束し、政府が労働組合との交渉において譲歩するかたちで、事態の沈静化が図られた。一九六〇年代後半、欧米や日本を中心とした世界の若者は、学生運動や政治運動を通じてお互いの理念や思想、哲学を共有していた。これにより、国境を越えたカウンターカルチャー（サブカルチャー）や反体制文化（ヒッピー文化）を育む国際的な土壌ができあがり、ロックや映画、ファッション、アニメ、アートなどに影響を与えていった。

訳注2——「Dim Dam Dom」
一九六五〜一九七〇年の毎週日曜日にフランスで放送されていた女性向けテレビ番組。ファッションやカルチャー、美容など、画期的なコンテンツで視聴者を釘付けにした。

訳注3——歌手ダニ
一九四四年生まれのフランスの女性歌手、女優。「ダニ」は芸名で、本名はダニエル・グロール。一九六三年にパリに上京してモデルとして活躍する。その後、歌手として活動を始め、ミリオンセラーを達成。すらりとした中性的なルックスで人気を博した。女優としてフランソワ・トリュフォーやクロード・シャブロルの映画にも出演した。

プ」[訳注4]スタイルを取り入れ、ボーイッシュなダニを色香漂う女性に変身させるというものだった。視聴者はその変貌ぶりに魅了された。テレビだけでなく新聞や雑誌も、紳士的でさまざまな顔をもつカールに強い関心を寄せていた。「カール・ラガーフェルドは（中略）さまざまなブランドのコレクションを手掛けるデザイナーであり、トレンドメーカーだ。ヴォーグ・ポップ[訳注5]、キッチュ[訳注6]、ジョッパーズ[訳注7]、クリノリンドレス[訳注8]など、あらゆる流行を予見し、トレンドを生み出してきた[5]」精力的かつクリエイティブに仕事をこなすカールの原動力は何なのか。誰もが知りたがっていた。「フランスでは、クロエのプレタポルテ・コレクションをはじめ、ティムウェアのニット、ムッシューZのフェイクファー、ネレの手袋などを手掛け、イタリアではマリオ・ヴァレンティーノのシューズのほか、スイムウェア、帽子、バッグ、ジュエリー、テキスタイルなどをデザイン。ドイツと英国ではニットセーターのデザインも担当している[6]」当時の雑誌記事はカールをそう紹介した。こうして人々を虜にしながら、カールは新たな世界を切り拓き続けた。

そんな多忙な中でも、カールには絶対に欠かせないルーティンがあった。毎シーズンのコレクション発表やインタビューを通じてセルフプロデュースを続ける一方で、時間を捻出してはお気に入りのカフェ・ド・フロールへと足を運んだ。美術界や文学界の知識人が足繁く通う老舗のカフェに、カールはすっかり溶け込んでいた。そこではもう、カールのことを知らない者はいなかった。

カールが何者かを知らないのは、ベトナム戦争への出征を逃れてパリに

訳注4――ヴァンプ
魔性の女を思わせる、妖艶な装いのこと。

訳注5――ヴォーグ・ポップ
トレンド感の強いスタイルにポップさを加えたファッション。

訳注6――キッチュ
カラフルな色使い、柄×柄の組み合わせ、チープ感のある小物使いなどを特徴とする、デコラティブで派手なスタイル。

訳注7――ジョッパーズ
腰から太ももにかけてはゆったりしていて、膝下から裾までがぴったりとしたパンツのこと。元々は乗馬用のズボンのことで、乗馬用ブーツをはくため膝下がフィットしたデザインとなっている。

訳注8――クリノリンドレス
「クリノリン」とは、一八五〇年代後半に発明された、スカートをドーム型のシルエットに保持するための骨組み下着のこと。この骨組みをあしらい、腰から下のスカート部分がふんわりと膨らんだドレスのことをクリノリンドレスと呼ぶ。

渡ってきたばかりの若きアメリカ人、コーリー・グラント・ティッピン［訳注9］くらいだった。昼前になると姿を現すカールに、彼はいつも圧倒されていたという。「ニューヨークにもずいぶんと変わった人がいるけれど、ああいう人は初めて見たよ。カールはいつもたくさんのリングやジュエリー、小物を身に着けていた。すごいオーラがあって、正直近寄りがたかったね［7］」一九七〇年代初頭のパリのサン・ジェルマン・デ・プレ地区では、ブレザーやタートルネックといったカジュアルな装いが一般的だった。そういった中では当然、カールの、計算し尽くされたスタイリッシュな佇まいは際立って見える。シックな色使い、隙のないコーディネート、最新トレンドを巧みに取り入れた粋なスタイリング。プリントの彩りが美しいシルククレープデシンのしなやかなシャツに、同素材のスカーフ。そこにジーンズと大きなバックル付きベルトを合わせる。トレンドを大胆にアレンジした、斬新なスタイルだった。自身のワードローブにもクロエのフェミニンな要素を取り入れ、カールは自らを演出し続けた。一九五〇年代末にオープンカーでパリを走り回っていた「ミステリアスなドイツ人」は、ファッション業界の「メインキャスト」へと昇格した。あの頃のカールはパリの社会を丹念に見つめ続ける観察者の一人にすぎなかったが、今ではカール自身が、そのパリを代表する傑出した存在となり、観察される存在となったのだ。

大好きなコカ・コーラを注文し、読書に没頭しては、時折シャツの袖の上にはめた腕時計に目をやる。誰を待つというわけでもなく。

訳注9——コーリー・グラント・ティッピン
米国出身。一九七〇年代にフランスに渡り、モデルとして活躍した。その後メイクアップアーティストとなり、イラストレーターのアントニオ・ロペスのアシスタントなども務めた。

13 新しい仲間たち

カールが成功し、新たな名声を手に入れることができたのは、本人の才能はもちろん、理想を実現したいという揺るぎない意志や、着々と進めてきたセルフブランディングによるところが大きかった。一方で、追い風となる貴重な出会いもあった。アントニオ・ロペスは、カールより十歳ほど年下の、才能あふれるイラストレーター兼フォトグラファーだった。新たなインスピレーションを求めて米国からパリにやって来たばかりで、カール同様、絵を描くことをこよなく愛していた。カールは、『ヴォーグ』や『ハーパース・バザー』といったファッション誌にイラストを提供していたアントニオの現代的な画風に惚れ込み、彼と手を組むことにした。

アントニオはいつも、若いモデルたちを引き連れていた。皆、一九七〇年代に花の都パリを夢見て渡仏したアメリカ人で、コーリー・グラント・ティッピンもその一人だった。最初は、パリの街が期待したほど華やかでないように思えて、理想と現実のギャップに戸惑った。しかしファッション業界の最前線で活躍する人々と付き合うようになると、その生活は日に日に派手になっていった。「毎日何もせず、遊んでばかりだったよ。洗練された人たちと、夢のような時間を楽しむことしか考えてなかったんだ[1]」

そんな享楽的な暮らしが許される時代でもあった。

カールには、トレンドを探り当てる嗅覚だけでなく、優れた人脈を見つける才能もあった。カールは遊び呆けていた若者たちのためにサン・ジェルマン・デ・プレ地区のアパルトマンを二軒借り、自由に使わせた。一つはボナパルト通り、もう一つは、カールの自宅にほど近いサンジェルマン大通り一三四番地。アパルトマンは、さまざまな作品を生み出すアトリエとなった。カールとアントニオを囲むグループのメンバーが気軽に立ち寄り、おしゃべりをしたり、イラストを描いたり、写真を撮影したりして、また出かけていくこともあれば、そのまま泊まっていくこともあった。モデルたちも出入りしていて、特にジェリー・ホール、パット・クリーブランド、ジェシカ・ラングの三人は、このグループのメンター的な立場にあったカールとアントニオに豊かなインスピレーションをもたらした。カールとアントニオは、素晴らしく気が合った。何かをやりたいと思う気持ちが呼応し、ポジティブなエネルギーが湧き出していた。カールは、新境地を求めてパリにやってきたアントニオからニューヨークのエスプリを吸収し、彼を自分の仕事へと引き込んだ。二人はクロエが提案する女性像を見直し、まったく新しいデザインを生み出していった。カールがアントニオに自分のアイデアを伝え、アントニオがイラストを描く。カールが描いたものにアントニオが手を加えることもあった。のちにメイクアップアーティストとなり、アントニオのアシスタントも務めたコーリーは、こう振り返る。「二人は見事に通じ合っていた。すごいエネルギーを感じたよ[2]」

カールがサンジェルマン大通りに借りていたアパルトマンはアーティストが集うアトリエとなっていたが、ニューヨークにあるアンディ・ウォー

訳注1——アンディ・ウォーホル
ポップアートの巨匠と称される米国人アーティスト。シルクスクリーン、映画、写真、音楽など、さまざまな表現形式でポップアート・ムーブメントを率いた。当初は商業デザイナー&イラストレーターとして活躍していたが、一九六二年に「キャンベルのスープ缶」や「黄金のマリリン・モンロー」といったシルクスクリーン作品を発表し、脚光を浴びた。一九六八年、「ファクトリー」(訳注2で詳述)の常連で過激派フェミニズム団体のメンバーだったヴァレリー・ソラナスに銃撃され重体となったが、一命をとりとめる。一九八七年、胆嚢手術を受けた翌日に心臓発作で死去した。享年五十八。

ホルの[訳注1]アートスタジオ「ファクトリー」[訳注2]ほどのものではなかった。しかしサンジェルマンのアトリエに出入りするアメリカ人グループは、そのウォーホルとつながっていた。フランスでの販路を開拓しようとしていたウォーホルに、カールは国内のインフルエンサーやオピニオンリーダーを紹介し、シルクスクリーン作品のモデル探しにも協力した。ウォーホルはカールより五歳年上だった。その活動はすでに広く認められていて、「キャンベルのスープ缶」の個展を開いたり、マリリン・モンローやエルヴィス・プレスリーの肖像画を発表したり、映画[訳注3]を何本も撮影したりしていたし、暗殺されそうになった経験すらあった。彼はトレードマークとなった銀髪のウィッグをかぶり、「アンディ・ウォーホル」という人物を演じていた。カールもまた、特定のアイテムを繰り返し身に着けることで自らをプロデュースしたり、次々と新しいプロジェクトを手掛けて変幻自在に活躍している。そんなカールが、ウォーホルに興味を抱かないわけがなかった。魅了されたのではない。好奇心を刺激されたのだ。だからカールは、ウォーホルを観察した。「ウォーホルは、どうすれば大衆に受けるかを知っていました。目にするものをどんどん取り入れて自分のものにし、娯楽性を与えるというのが彼のやり方だった。他人によってもたらされるものをすべて利用するのは、優れたアーティストなら当たり前のこと。カールもそれをわかっていました[3]」とヴァンサン・ダレは説明する。

カールはアントニオとのコラボレーションを続け、アントニオはクロエのデザインに影響を与えたが、そのパートナーシップは非公式なもので、アントニオがメゾンと契約を交わすことはなかった。「カールとアントニオが

訳注2——ファクトリー
ポップアートの旗手アンディ・ウォーホルが、一九六四年にニューヨークに構えたアートスタジオ（アトリエ）の名称。「工場で大量生産するかのように効率よく作品を制作する場」としてつくられ、その名の通り工場をイメージした銀色の内装が施されていた。各ジャンルのアーティストやミュージシャン、脚本家、俳優、トランスジェンダー、ハリウッドセレブ、富裕層のパトロンなど、アンダーグラウンドからハイカルチャーまでさまざまな人が集まるサロンとなり、多くのコラボレーション作品が誕生した。

訳注3——アンディ・ウォーホルの映画
一九六三年から一九六八年にかけて六十本以上の映画を手掛けた。実験映画的な作風のため、一般公開されたものは少ない。

手を取り合うことで、クロエのスタイルは研ぎ澄まされていきました」タン・ジュディチェリはこう分析する。「カールはクロエをさらなる成功へと導くために、新たに知り合ったアメリカ人たちを『利用』しました。こうしてメゾン内でのカールの影響力はいっそう強まり、力関係は逆転していった。そしていつの間にか、ギャビー・アギョンでもジャック・ルノワールでもなく、カールがメゾンを動かすようになっていたのです［4］」

カールは、彼を取り巻くアメリカ人たちの後見人、いわばスポンサーのような立場になっていた。彼らはカールの幅広い教養に驚き、歴史の知識や難解な引用をちりばめた巧みな話術に舌を巻き、その寛大さに感服した。カールは彼らの家賃を払い、パリの有名店で定期的に夕食をご馳走した。コーリーはこう話す。「メゾン・デュ・キャビアというレストランが特にお気に入りで、よく連れて行ってもらったよ。カールのサポートは金銭的なものだけではなくて、さまざまなアドバイスもしてくれた。僕らを育ててくれたんだ［5］」モンパルナスにある有名ブラッスリー、ラ・クーポールも、カールのお気に入りの場所だった。カールが来店するのは、夜が更けてから。パット、ポール、ビリー、ホアン、アントニオ、コーリーといった「仲間たち」を引き連れてやってくる。ここでも、カールは大いに注目を浴びた。コートの襟元には、ベークライト製［訳注4］のアールデコのブローチ。カールが最近よく行く、サン・ジェルマン・デ・プレのアンティークショップで見つけたものだった。ラ・クーポールは一九二〇〜三〇年代に多くの著名人が足を運んだ老舗ブラッスリーだが、彼らの姿はその雰囲気にしっくりと馴染んでいた。テーブルには、屈託のない笑い声が響く。カールの話す英語は完璧だった。コーリーはこう語る。「おかげでいつも楽しく話ができた。苦労してフランス語を話す必要がなかったからね［6］」こうした

訳注4――ベークライト
一九〇七年に米国人科学者レオ・ベークランドが開発した世界初の合成樹脂、フェノール樹脂の商品名。不溶性、化学的耐性をもつ硬質プラスチックで、生活用品や小物、ジュエリーなど、さまざまな製品に使用された。

ディナーの場では、カールは気さくで話しかけやすく、たいてい楽しそうにしていた。しかし時折、驚くほど距離を感じさせることもあった。突如として深い郷愁に飲み込まれ、はるか遠い昔にタイムスリップしてしまったかのように。

この店の常連客には、イヴ・サンローランもいた。イヴが連れているのは、プルーストの作品に出てきそうな繊細な雰囲気の人ばかりだった。カール側と、イヴ側。カラーの異なる、二つの陣営。敵方に移ったとしてもリーダーの怒りを買うことはなさそうだったが、両陣営の間にははっきりとした溝があり、交わることはなかった。コーリーによれば、『サンローランと付き合うな』などと言われたことはなかったし、サンローラン側も同じだったはず[7]だという。とはいえ、軽率な行動をとる者はいなかった。親友から一転、ライバル同士となったカールとイヴの関係は一触即発の状態にあり、いつ何があってもおかしくなかったからだ。

カフェ・ド・フロールで過ごす時間も、ずいぶんとにぎやかなものになった。カールはアメリカ人の友人たちと一緒に新聞や雑誌に目を通し、彼らの意見にも熱心に耳を傾けた。だが彼らにとって、カールは謎多き人物のままだった。カールは彼らと違い、酒は飲まず、タバコも吸わず、ドラッグにも手を出さない。それは道徳観からではなく、自制を失うことに対する恐怖心からだった。私生活について深く語ることもない。カールのプライベートについて彼らが知っていたことといえば、父親が亡くなったあと、ユニヴェルシテ通りのアパルトマンで母親と同居しているということくらいだった。カールはたまに母親の話をすることがあり、その口ぶりからは深い敬愛が感じられた。友人たちにとってはカールの母親もまたミステリアスな存在で、一度会ってみたいと皆が思っていた。そしてついに、そのチャンスが訪れる。カールが友人たちを自宅へ招き、夕食会を開くことになったのだった。

14

カールとエリザベート

コーリー・グラント・ティッピンは、カールのアパルトマンに足を踏み入れたときの、あの感触をよく覚えている。ふかふかの、分厚い栗色のカーペットだった。リビングに入ると、時間が巻き戻ったかのような錯覚に陥る。そこには、老舗ブラッスリーのラ・クーポールをしのぐほどの優美な空間が広がっていた。カールはここでプライベートな時間を過ごしているのだ。室内には、ジャン・デュナン［訳注1］の漆作品、ルーチョ・フォンタナ［訳注2］の彫刻、ラランヌ夫妻［訳注3］の家具といったアート作品が、趣味よく配置されていた。淡いピンクの壁、黒くペイントした窓枠や腰板、バランスよく飾られたゴールドフレームの鏡。アールデコ特有の配色が、モダンで落ち着いたムードを醸し出す。そんなリビングで、パーティーは始まった。流行りの合法ドラッグをキメてからカールの家に来るような、自分たち若者の騒々しさと、コカ・コーラしか飲まず、自分を律しながら生きているカールの落ち着き。コーリーは、自分たちとカールとの、あまりにも対照的

訳注1——ジャン・デュナン
フランスの漆芸家、彫刻家、インテリアデザイナー。日本人工芸家の菅原精造から漆の技術を学んで西欧のデザインに応用し、木製パネルに色漆を使った作品などを制作した。

訳注2——ルーチョ・フォンタナ
イタリアの彫刻家。アルゼンチン出身。「空間主義」という芸術運動を提唱した。カンバスに小石やガラスを張り付けたり、ナイフで裂け目を入れたりした作品が有名。

訳注3——ラランヌ夫妻
夫フランソワ＝グザヴィエは彫刻家、版画家。妻クロードは彫刻家。夫婦で創作活動を行い、動物をテーマにした作品などを数多く制作した。

なライフスタイルに驚いていた。

ユニヴァルシテ通り三十五番地のアパルトマンは、すっかり改装されていた。以前テレビ番組のインタビューを受けた頃は白いソファを配したスタイリッシュな内装だったが、今はがらりと変わり、アールデコを基調とした格調高いインテリアでまとめられていた。パトリック・ウルカードはこう説明する。「カールは常に時代を先取りしていました。インテリアも、彼の手にかかれば自ずと最先端になるのです。カールがプレタポルテという新しい世界を切り拓き始めたこの頃はまだ、アールデコに興味を持つ人など誰もいませんでした。そんな中、カールはアンティークの世界でも『最先端』を発掘していきました。当時彼が見出したアンティーク商には、セスカ・ヴァロワ[訳注4]やフェリックス・マルシアック[訳注5]など、今では世界的に有名になっている人物もいます。しかもカールは、ただアンティークを取り入れるだけでなく、その時代のライフスタイルに合った空間をつくろうとしていました[1]」

リビングに紫煙が漂い、笑い声が沸き起こるなか、コーリーはマダム・ラガーフェルドのことが気になって仕方なかった。いったいどこにいるんだろう？ 不思議なことに、この家にいるはずのカールの母親の姿を、まだ誰も見かけていなかった。そこでコーリーは、皆のいるリビングを少しだけ抜け出して、広いアパルトマンの奥へと探検に出かけることにした。そして思わぬ場所で、「その人」に出会ったのだった。「目の前のドアを何気なく開けたら、カールの母親がいたんだ。本当に失礼なことをしてしまった。そんなところにいると思わなかったから、とにかく驚いたよ[2]」母親は、カールにそっくりだったという。コーリーの目には、マダム・ラ

訳注4――セスカ・ヴァロワ
女性古美術商。一九七一年、夫ロベールと共に骨董品を取り扱うギャラリーをパリにオープンした。

訳注5――フェリックス・マルシアック
一九六九年、パリにアールデコ専門のギャラリーを開業した美術史家、古美術商。

ガーフェルドは慎み深く穏やかな女性に見えた。とはいえ、和やかに談笑できるような状況ではない。コーリーはすっかり恐縮して丁重にお詫びを言い、そっとドアを閉めた。その日は結局、カールの母親が皆の前に姿を見せることはなかった。

カールは自分の母親のことを辛辣な人だと言っていたが、それは誇張だったのだろうか。映画監督のフランシス・ヴェベールは、エリザベートに会ったことのある数少ない人間の一人だ。彼も同じ頃にカールの家を訪れ、マダム・ラガーフェルドを偶然見かける機会があった。わずか数秒のことだったが、はっきりと物を言うエリザベートの性格を垣間見たという。「マダムは私を見たあと、カールに向かって何かを『わめき』ました。何を言っているか私にはわかりませんでしたが、カールには伝わっていたようでした。いかにも道理を重んじるドイツ人といった感じで、カールはこの母親を喜ばせるために自分が折れて、彼女のルールに従っているのだろうと思いました。二人の間にはそういった暗黙の了解があり、それによってパワーバランスが保たれていたんだと思います[3]」

カールと母親についての謎は深まるばかりだったが、コーリーにはその後再び、エリザベートに会う機会があった。それはカールが、南仏の高級リゾート地サントロペに別荘を借りたときのことだった。いつものように友人たちが入れ替わり立ち替わり遊びに来ていたのだが、カールの母親もそこに滞在していた。当時アントニオ・ロペスのアシスタントをしていたコーリーは、エリザベートに付き添って列車に乗るという大役を任された。「控えめで、格別な気品のある方だったよ。偉そうなところはまったくなくて、僕が紳士であるかのように接してくれた。本当はぜんぜん違うのに。列車の中で一緒に夕食をとったのだけど、支払いをするときに、テーブルの下でそっと僕にお金を渡してくれたんだ。僕が払ったように見せるためにね。あの気遣いはうれしかったな[4]」

サントロペでは、カールはよくプールサイドに来て皆と話をしていたが、マダム・ラガーフェルドがカールの生活に立ち入ることはなかった。エリザベートは、カールがそばにいさせてくれるだけでありがたいと思っているようだった。家から出ることはほとんどなかったが、たまに街へ出かけるときは洒落たワンピースを着ていた。一方、カールはその頃、タンクトップをよく着ていた。そこからのぞく鍛え上げた筋肉は、ずっと続けてきたウェイトトレーニングの賜物だった。ゆるくウェーブした黒い髪、日焼けした肌、引き締まった身体。外見だけを見れば、皆と同じ陽気なアメリカ人だと言っても通用しそうだった。しかしカールは、皆がプールサイドで日光浴を楽しんでいる間も、休むことなく自室で仕事をしていた。アントニオが、そんなカールをビーチへと連れ出すこともあった。アントニオはカールに、声をかけるときはひるんではいけないなどと、ナンパの心得を伝授した。この方面に関しては、カールはとことん疎かった。「カールがアントニオにアドバイスをもらっていたのは面白かったね。アントニオだって、どちらかというとおとなしいほうだったから[5]」とコーリーは言う。カールやアントニオにしてみれば、絵を描くことのほうがよっぽど楽しくて、胸がときめくのだろう。

パリのユニヴェルシテ通りにあるカールの自宅は、ますますにぎやかになっていた。大勢の人が出入りするこのアパルトマンは、アンディ・ウォーホルと映画監督のポール・モリセイが撮影したアングラ映画『ラムール(愛、の意)』の舞台にもなった。この映画には家主のカールも出演している。若いアメリカ人たちが自分の恋愛について語り、カールが相談に乗るシーンでは、台詞はすべて即興だった。カールは英語で、親身になって助言をする。別のシーンでは、白いタンクトップを着て長めの髪を揺らし、セクシーに微笑むカールが登場する。ポップアートの先駆者ウォーホルのカメラが、モデルのドナ・ジョーダンと長いディープキスを交わすカールを、画面いっぱいに映し出す。プライベートではシャイなカールだったが、そこに照れや恥じらいは感じられない。カールにとっては、これは「演技」に過ぎないのだ。感情を抑え、理性で演じれば、何も恥ずかしいことなどないのだった。

15 共鳴し合うふたり

ジャック・ドゥ・バシェールは、歩けば皆が振り返り、行く先々で注目を浴びるような人だったと、甥のトマ・ドゥ・バシェールは言う。「光り輝くような人でした。誰かのことを『太陽のよう』と形容することがありますが、ジャックこそまさに、太陽のような人でしたね[1]」サン・ジェルマン・デ・プレ地区にオープンしたばかりの「ル・ニュアージュ」[2]は、同性愛者が集うクラブだった。その夜、ジャックの放つまばゆい光はカールへと向けられていた。「あなたのことをもっと知りたいな」ジャックは、いつもの決まり文句を口にする。メディアでの露出も増え、すっかり有名になったカールのことを、知らないはずはなかったのに。それからジャックは、カールが胸の内に秘めていることを、いくつか言い当ててみせた。人に好かれたい。認められたい。安全な場所から人々をじっくり観察し、時代の空気を感じていたい。ジャックは、カールのそんな思いを見透かしていた。さらに、パリで築き上げられたカールの華やかな人物像と、ドイツ時代の「傷」を抱えた本当のカールとの違いを、見事に見抜いていた。そう、若いジャックがカールの前に現れたのは、偶然などではなかった。カールがラ・クーポールに来店し、アメリカ人の友人たちと夕食を楽しんでいるのを、ジャックは店の奥から見ていたのだ。そしてこの面白そうなグループに、ぜひ仲間入りしたいと思っていた。そこでジャックはカールのことを調べ、情報を集めた。ジャックには少しカールに似たところがあり、カールにも、本人はまだ知らなかったが、ジャックと共通する部分があった。二人はいつか、どこかで出会う運命にあったのだ。もっとも、ジャックの友人たちはずっと、カフェ・ド・フロールで白熱した議論を交わしたのがカールとジャックの最初の出会いだと思っていたらしい。ジャックの場合もカールの場合も、その人生で起きたことは一瞬のうちに伝説となる。語られた瞬間に、語られたままに記録されるのだ。だから「(ジャックは)現れるときも立ち去るときも、演出を欠かしませんでした[3]」とトマ・ドゥ・バシェールは言う。どうすればひときわ強い印象を与えられるか、それも心得ていた。

ジャックはカールとの出会いを、どう演出したのだろうか。痺れるほどドラマチックなシーンになるように、演出を凝らしたに違いない。ジャックは、いつもナイトテーブルに置いてあるオスカー・ワイルドの小説『ドリアン・グレイの肖像』から抜け出てきた主人公のように、うっとりするようなオーラをまとって登場した。「その顔には、ひと眼で他人の信頼をかち得るなにものかがあった。若さからくるひたむきな純情はもちろんのこと、いかにも青年らしい恬淡さがそこには溢れていた。俗世間の汚濁を一点も身に受けずにきた人間という感じだった。その姿は、愛されるべき存在そのものだった[4]」カールの前に現れたその見知らぬ人物は、そんなパーフェクトな魅力を放っていた。彼は、ジャック・ドゥ・バシェール・ドゥ・ボーマルシェ(Jacques de Bascher de Beaumarchais)と名乗った。その名字には、貴族の出であることを示す「ドゥ(de)」が二つもついていた。フランスの水兵がかぶる赤いポンポンのついた帽子を頭に乗せ、カールが子どもの頃に好んで着ていたレーダーホーゼンというバイエルンの民族衣装を、独自のセンスで着こなしている。ジャックもカール同様、服という「仮面」で自分を彩ることが好きで、ファッションにはこだわりを持っていた。そして文学や伝説をこよなく愛し、ありふれた物事を美麗なものであるように見せる術を知っていた。

　この出会いの演出が、ジャックの仕掛けた駆け引きであることにカールは気づいていたはずだが、ゲームだとわかっていてもなお惹きつけられる、ミステリアスな何かがあったのだろう。ジャックの個性的なファッションは、カールを三十年前へと引き戻した。彼も子ども時代、人とは違う自分を表現するために、レーダーホーゼンを着ていたことがあるからだ。ジャック・ドゥ・バシェールは、カール・ラガーフェルドの人生に突如として現れた、大胆不敵で型破りな人物だった。そしてカールは、まさにそこに惹かれたのだった。

　二十ほども歳の離れた二人はその日、朝方まで語り合った。この一九七一年の出会いは、カールの生涯において最も幸福で、最も魅惑的な出来事となった。しかし同時に、最も大きな動揺と悲劇をもたらすことにもなるのだった。

　こうして二人の物語は始まった。既存の枠に収まらない新たな世界を創造し、自分の望むままに人生を生きたいと強く願う二人の、新たな伝説が刻まれ始めたのだった。ジャックの友人で作家のクリスチャン・デュメ＝ルヴォウスキは、こう分析している。「ジャックは自分の出自や、一族が所有するベリエール城に誇りを持っていましたが、それだけでは満足できなかった。より自分にふさわしい、理想のイメージを築き上げるには、それでは足りなかったのです[5]」ジャックの名字についている「ドゥ・ボーマルシェ(de Beaumarchais)」は、一族が所有するもう一つの城、ボーマルシェ城からとったもので、「ドゥ(de)」を二つ重ねて貴族の出自を強調するために後からつけたものだった。クリスチャン・デュメ＝ルヴォウスキがジャックの姿を初めて見たのは、英国出身の画家、デイヴィッド・ホックニーのポスターだった。そこにはジャックのポートレートが描かれていた。「ジャックの印象は、フランスの若き貴族そのものでした。エレガンス、教養、格式ある名字や一族、出自、祖先、歴史への造詣など、貴族を象徴する特徴をすべて備えていました[6]」フランス、貴族社会、格式……。カールにとってそれは、メンツェルの絵を原点として追い求め続けてきた、自分の理想の世界に欠かせない要素だった。ジャックとの出会いは、その世界へとさらに一歩近づくことを意味していた。

ジャックは働かず、十八世紀の貴族たちのように優雅に暮らし、怠惰というものを一つの美学へと昇華させた。それが許されたのは寛容な時代のおかげでもあり、一族の社会的地位のおかげでもあった。ジャックの家族はブルターニュ地方に小さな城を持っており、裕福な暮らしをしていたからだ。ジャックはただ刹那的で美しい存在として日々を過ごし、「ダンディ」としての名声に磨きをかけた。画家が絵を描き、職人がジュエリーを生み出すように、ジャックはアーティストとして自分という作品を創作した。「彼はいつも、完璧なコーディネートを目指していました。だから身支度に二時間はかかっていましたね。どんなイベントなのか、どんなシチュエーションなのか。どんな人物になりきるか。そういったことを考慮してスタイリングしていたようです[7]」と甥のトマは言う。ジャックは毎朝、お気に入りの物語をヒントに、新しい自分を創った。クリスチャン・デュメ＝ルヴォウスキは、

訳注1——デカダン派
十九世紀のヨーロッパ文学、特にフランス文学における文学運動。退廃的、懐疑的、耽美的であったり、悪魔的傾向があるのが特徴。

訳注2——ジョリス＝カルル・ユイスマンス
十九世紀末に活躍したフランスの作家。オスカー・ワイルドと並び、代表的なデカダン派作家とされる。

訳注3——『彼方』
J・K・ユイスマンスによる小説。現代フランスに生き続けるサタニズム（悪魔主義）をテーマにした小説で、日刊紙に連載されたその内容は物議を醸した。主人公である小説家デュルタルは、十五世紀に多くの幼児を弄び虐殺したジル・ド・レ元帥に興味を持ち、サタニズムについて調べ始める。そして黒ミサに参列し、戦慄に満ちた背徳の世界を覗き見ることとなる。

訳注4——『さかしま』
J・K・ユイスマンスによる小説。一八八四年に刊行され、象徴主義、デカダンスの作品として、モーリス・メーテルリンク、ポール・ヴァレリーやオスカー・ワイルドなどに影響を与えた。三島由紀夫が「デカダンスの聖書」と評したともいわれる。「さかしま」とは、「逆さま」「道理にそむくこと」といった意味。

貴族の末裔である主人公フロレッサス・デゼッサントは、退屈で偽善的な世間に嫌気が差し、パリ郊外の田舎の家で隠遁することにした。部屋に閉じこもり、世間との関わりを絶って、神秘主義的で少し悪魔主義的な趣味に没頭し、自分だけの小宇宙を築き上げていく。しかしそんな退廃的な生活にも満足できず、デゼッサントは徐々に病んでいくのだった。

友人ジャックについてこう話す。「幻想的な神話が好きで、そこから多くのインスピレーションを得ていました。そういった、彼が大切にしていたものを知ると、ジャックという人間がよりはっきりと見えてきます。彼がまず興味を持ったのは十九世紀末のデカダン派の［訳注1］の文学で、特にジョリス＝カルル・ユイスマンス［訳注2］という作家に傾倒していました。ユイスマンスの小説『彼方』［訳注3］に登場する小説家デュルタルや、『さかしま』［訳注4］の主人公フロレッサス・デゼッサントは、ジャックがセルフイメージを築く上で大きな影響を与えました。（中略）両極端なものや栄枯盛衰を特に好み、百年戦争を戦ったジャンヌ・ダルクやその戦友ジル・ド・レ［訳注5］などにも関心を持っていました［8］」ジャックの弟グザヴィエによると、ジャックは「狂王」と呼ばれた第四代バイエルン国王、ルートヴィヒ二世にも夢中だったという。

「ジャックが初めてドイツに行ったのは十三歳の頃でした。そのときに滞在したのがドイツ南部にあるシュタルンベルク湖で、そこはルートヴィヒ二世が水死体となって発見された場所だったのです。ジャックはその時、自分とルートヴィヒ二世を重ね合わせたのだと思います。ルートヴィヒ二世のロマンチックで詩的で幻想的な生涯に、深く感動していました。晩年の妄想や錯乱、ノイシュヴァンシュタイン城につくらせた秘密の洞窟、そしてその衣装……。ジャックはそうしたすべてに心酔していました。ノイシュヴァンシュタイン城は、ジャックの憧れの場所だったのです［9］」こうしてあちこちからピックアップされたさまざまなインスピレーションの欠片が集まり、

訳注5――ジル・ド・レ

百年戦争期に活躍したフランスの貴族・軍人で、ジャンヌ・ダルクの戦友。ジャンヌが捕らえられ火炙りにされたことで心が荒んだジルは、領地に戻ると錬金術や黒魔術に傾倒。手下を使って少年を拉致し、陵辱、虐殺するようになった。その犠牲者は百五十人から千五百人にも上ると言われている。一四四〇年に聖職者を拉致、監禁した罪で逮捕され、絞首刑の後、死体は火刑となった。ペローの童話に登場する殺人鬼「青ひげ」のモデルになったと言われている。

訳注6――イーヴリン・ウォー

辛辣な風刺とブラックユーモアを特徴とする英国の小説家。一九二二年にオックスフォード大学の歴史学科に入学するが、放蕩生活の末、二年で退学。ヒーザリー美術学校に入学するがこちらも短期間で退学した。教師をしながら各地を放浪し、一九二八年に文壇デビュー。第二次世界大戦時ではユーゴスラビアへ赴き、前線でパラシュートの降下中に負傷。この療養中に長編小説『回想のブライズヘッド』を執筆した。

訳注7――『回想のブライズヘッド』

一九二〇～一九三〇年代、ロンドンの中産階級の出であるチャールズはオックスフォード大学に進学し、カトリック貴族出身、ゲイでアル中のセバスチャン・フライトと友人になる。セバスチャンの妹ジュリアに恋をしたチャールズの目を通して、フライト一家の姿を描いた物語。

影響し合って、ジャックという人物像をつくり上げていたのだ。また、イーヴリン・ウォー［訳注6］の小説『回想のブライズヘッド』［訳注7］に登場する主人公の友人で、デカダンスの典型ともいえるセバスチャン・フライトも、ジャックという人間の形成に欠かせない要素だった。小説の舞台は二十世紀初頭。セバスチャンという登場人物は、オックスフォード大学に通う貴族出身の同性愛者だ。ジャックはこの、酒に溺れ、憂鬱なロマンチシズムに流されるように暮らしていたセバスチャンの物憂げな風情に惹かれ、そのスタイルを積極的に取り入れた。ジャックは彼を真似て、スコッチウイスキーの瓶を片手に散歩をするのが好きだった。また、セバスチャンがテディベアの「アロイシウス」を片時も離さず持っていたように、ジャックも「ミシュカ」と名付けたテディベアをいつもそばに置いていた。

　カールは夏のサントロペで、ジャックを友人たちに紹介した。当時フランスで独立したばかりだった日本人デザイナー、高田賢三［訳注8］は、そこで初めてジャックに会ったという。やや背徳的な香りのするジャックの美貌に、彼もまた魅了された。「誰もが夢中になるほどの美形で、品のある人でした［10］」高田賢三はそう振り返る。コーリーによると、「『ジャックを皆に紹介しようと思ってね』と切り出したカールは、とても幸せそうだった。ジャックのようなパートナーを連れていることを自慢に思っている様子だった［11］」という。ジャックという太陽は、人々の心の奥に潜む微かなライバル心に火をつけた。カールは目の前で繰り広げられる人間臭い小競り合いを、ただ黙っ

訳注8――高田賢三

「ケンゾー」および「K3」ブランドを創業したファッションデザイナー。兵庫県姫路市生まれ（一九三九～二〇二〇年）。一九八四年にフランス芸術文化勲章シュヴァリエ位、一九九九年に紫綬褒章、二〇一六年にレジオン・ドヌール勲章シュバリエ位を受章。神戸市外国語大学を中退後、一九五八年に文化服装学院に入学。同期にはコシノジュンコ、松田光弘（「ニコル」創業者）、金子功（「ピンクハウス」創業者）ら、のちにファッション界をリードする人材が揃っており、「花の九期生」と呼ばれた。一九六〇年に新人デザイナーの登竜門である「装苑賞」を受賞、一九六五年に渡仏。一九七〇年に独立し、パリ二区のギャルリー・ヴィヴィエンヌにプレタポルテのブティック「ジャングル・ジャップ」（現ケンゾー）をオープン。異文化を融合したカラフルで独創的なデザインはパリのファッション業界に旋風を巻き起こし、世界的ブランドへと成長した。一九九三年にLVMHグループにブランドを売却し、一九九九年にデザイナー職を退くが、二〇〇三年にフリーのデザイナーとして復帰。アテネオリンピックの日本選手団ユニフォームをデザインしたり、二〇二〇年にはライフスタイルブランド「K3」を立ち上げるなど、デザイン活動を続けていたが、二〇二〇年十月、新型コロナウイルス感染症によりパリ近郊の病院で死去した。享年八十一。フランス大統領府をはじめ、国内外の多くの著名人が哀悼の意を表した。

て観察した。白い紙とフェルトペン、母親、そしてジャック。涼しい部屋でひとり黙々とデザインを描き続けるカールにとって、それはこの上ない幸福のしるしだった。

　カールとジャックは常に行動を共にするようになった。同じダークカラーのジャケットに身を包み、おそろいのブローチをつけて、パリのマキシムで夕食をとることもあった[12]。ジャックはすっかり、カールを取り巻くグループの一員になっていた。キャバレー「アルカザール」に行くときも、ソファに座るカールの左隣に陣取った。口ひげを伸ばしたジャックと、右目に片眼鏡をかけたカール。独自性という点では、二人は双子のように似ていた。ヴェルニッサージュ［訳注9］レセプション、ナイトクラブやレストランのオープニングパーティーなど、華やかなイベントには必ず彼らの姿があった。広告塔としてカールとジャックを招待すれば、イベントの成功は間違いないと言われるほどだった。

　ジャックをジゴロ扱いする中傷は後を絶たなかったが、厳密に言うと、ジャックはジゴロではなかった。確かにジャックはカールから生活費をもらい、服を買ったりパーティーをしたりするお金を出してもらっていたが、それは二人の間の「取引」ではなかったからだ。カールは肉体関係など退屈なエクササイズに過ぎないと考えていて、ジャックとの関係には肉体性よりも精神性を求めていた。二人の関係は、既存の言葉では言い表せないものだった。その関係は観念的なもので、おそらくカールにとっては、それが理想のかたちだったのだろう。二人は、ただ面白いからというそれだけの理由で、電話をガチャンと切って笑い転げたりしていた。ありふれた日常の中にある幸せを、彼らは厭い、茶化しながら、しかし確かに手にしていたのだった。

訳注9——ヴェルニッサージュ
展覧会のオープニング前夜や初日に行われるレセプションパーティーのこと。フランスでは、展覧会が一般公開される前日に作品全体や退色した部分にワニス（フランス語で「ヴェルニ」）を塗る慣例があったことから、こう呼ばれるようになった。
　食前酒などを飲みながら、アーティストやキュレーターと交流できる場となっている。

16 皇帝カールの誕生

ジャックの住むアパルトマンはカールが借りているもので、カフェ・ド・フロールにほど近いドラゴン通りにあった。二人はいつもユニヴェルシテ通りのアパルトマンで会っていたが、一緒に住むことはなかった。一定の距離を保っておいたほうが、インスピレーションを与え合う関係を維持できるからだ。稀有な絆で結ばれたカールとジャックは、グループ内で次第に孤立していった。アントニオ・ロペスはカールが提供していたアパルトマンからレンヌ通りの別の場所へと移り、その後ニューヨークへと戻っていった。

カールにとって、ジャックはミューズのような存在となっていた。奔放さ、エスプリ、大胆さ。ジャックは、創作意欲を刺激する欲求そのものだった。二人は、さらに先へと進むためには「仮面」が必要だと考え、自分たちを他人にどう見せていくか、その方向性を吟味した。「二人は、お互いにないものを補い合っていたのだと思います。二人をつないでいたものは、美学や芸術性だった。カールにとって、ジャックはインスピレーションの源だったのです[1]」クリスチャン・デュメ＝ルヴォウスキはそう説明する。カールは、ジャックを彷彿とさせる人物を頻繁に描くようになった。絵にすることで、カールはジャックからリアリティを排除し、架空のキャラクターに仕立てようとしていた。

自らを演出する際のモデルやイメージを模索するうちに、カールとジャックはある人物に行き着いた。それは、第一次世界大戦中のドイツの捕虜収容所を舞台にしたジャン・ルノワール監督の映画『大いなる幻影』で俳優エリッヒ・フォン・シュトロハイムが演じた、ドイツ貴族のラウフェンシュタイン大尉だった。軍服を着て首にコルセットをつけ、片眼鏡をしたフォン・ラウフェンシュタイン大尉の出で立ちは、カールとジャックにとっては厳格さや格式を表す一つの理想形だった。しかもその姿はカールにとって、両親から聞かされていた、戦間期の優美で退廃的なドイツを喚起させるものだった。ジャックの助言に従い、カールはこの端正なスタイルを取り入れることにした。カラフルなプリントシャツとは決別だ。肉体美を強調するファッションもやめた。さらに、二つのルールを決めた。決して日焼けした姿を見せないこと。肌をできるだけ隠すこと。この二点を心に誓い、貫き通した。カールは「かなりタイトなジャケットを着ていました。肩幅を強調しウエストを絞ったジャケットに、ぱりっとしたストレートパンツと、エナメルの靴を合わせていました。ディテールも完璧で、『仮装』や『コスプレ』といった言葉で片付けられるようなものではありませんでした。よく練られた本格的なコンセプトがあり、そこに、細部までこだわり抜き、磨き上げようとする情熱が加わったことで、カールの揺るぎないスタイルが完成したのです。何事も中途半端にしないこと。それが彼のポリシーでした。毎日、昼も夜も常にきちんと装い、寝ているときでさえ、人に見られても恥ずかしくない姿でありたいと考えていたようです［2］」長年の親友であるパトリック・ウルカードは、そう説明してくれた。

そしてこの頃からカールの装いに欠かせなくなったのが、硬い襟芯の入った、高い襟のホワイトシャツだった。さらに、ネクタイの代わりに結んだスカーフ、片眼鏡、完璧に手入れされたあごひげも。

「カールは、自分がいい人に見えすぎると思っていました。優しい人でしたが、そういう面を見せたくなかったのです。厳格な面を強調しようとしていました[3]」とヴァンサン・ダレは説明する。だからカールは、ドイツの男爵を思わせるスタイルを採用することにしたのだ。タン・ジュディチェリはこう語る。「カールにとって、『文明の極み』を象徴するものとは、ハプスブルク帝国[訳注1]、オーストリア＝ハンガリー帝国[訳注2]、『シシィ』の愛称で知られるオーストリア＝ハンガリー帝国の皇后エリザベート、第四代バイエルン国王ルートヴィヒ二世などでした。戦間期のワイマール共和国[訳注3]や、社会にまったく新しい価値観をもたらす芸術運動もそうですね。腐敗、マフィア、財力など、裏社会を思わせるものにも強い興味を持っていました[4]」

そういったテーマを追っていくうちに、カールは二人の有名なドイツ人にたどり着いた。そのエレガンスと洗練は、今では失われた、この上なく崇高なもののように思われた。「母はこう言っていた。『私が立派だと思う人物は、ハリー・ケスラー伯爵[訳注4]とヴァルター・ラーテナウ[訳注5]の二人。それ以外はくだらないやつばかりよ[5]』」カールの高い襟に影響を与えたのは、外交官だったハリー・ケスラー伯爵の洗練された身のこなしや、暗殺されたワイマール共和国外相ヴァルター・ラーテナウの完璧な装いだけではなかった。そこに込められていたのは、失われた世界そのものであり、まばゆいほどに魅惑的な、究極の美のかたちだったのだ。

訳注1――ハプスブルク帝国
オーストリア系ハプスブルク家（のちのハプスブルク＝ロートリンゲン家）の君主が統治した同君連合国（一五二六〜一九一八年）。ハプスブルク家は、現在のスイス領内に発祥したドイツ系（アルザス系）の貴族で、始祖のルドルフ一世が一二七三年に神聖ローマ帝国皇帝に選出されて以来、中世ヨーロッパのさまざまな名門との婚姻や同盟政策によって領地を広げ、「日の沈まぬ帝国」を築き上げた。

訳注2――オーストリア＝ハンガリー帝国
ハプスブルク家が統治した帝国の一つ。一八六七年以降、帝国内の諸民族が次々と独立を宣言してハプスブルク帝国が崩壊する一九一八年まで、オーストリア＝ハンガリー帝国と呼ばれた。

訳注3――ワイマール共和国
第一次世界大戦後のドイツ革命を経て成立した共和国（一九一九〜一九三三年）。国民議会がワイマールで開かれ、ワイマール憲法を制定したためこう呼ばれる。一九二九年に起こった世界恐慌による社会不安を利用してナチスが台頭し、一九三四年にアドルフ・ヒトラーが総統となって独裁者の地位を確立。共和国は名実ともに崩壊した。

訳注4――ハリー・ケスラー伯爵
ハリー・ケスラー伯爵（一八六八〜一九三七年）は、世紀転換期から戦間期にかけて美術品収集家、著述家、外交官などとして活躍したドイツの平和主義者。多くの芸術家や作家を支援し、影響を与えた。

アールデコへの情熱も健在で、カールは熱心に収集を続けていた。アールデコの専門家でアンティークギャラリーを経営するセスカ・ヴァロワは、カールのことをよく覚えているという。彼は週に数回、仕事を終えてから、いつも閉店間際にばたばたとやってきた。「笑顔で店に入ってきて、店内を隅々まで見て回りながら、すべての作品にコメントしていくんです。何を見ても楽しそうでした。アールデコの知識をあっという間に吸収していくのには驚きましたね。確かな目利きで作品の価値を見抜き、選ぶのは決まって、最も優れたクリエイターの作品。カールの内面世界はとてつもなく深く、広大でした[6]」カールは、さまざまな家具を見ては鋭く分析し、気に入ればためらうことなく購入した。そうして買い集めた作品の数々は、カールの確かな審美眼を裏付け、独自のビジョンを象徴するものとして、彼がつくる理想美の世界に組み込まれていった。

カールは一九七三年七月、ドイツのテレビ局の取材を受けた。デザイナーの日常に密着するという内容で、仕事をしたり、パリのアパルトマンの窓辺でポーズを取ったりするカールの様子が撮影された[7]。栗色のベルベットのジャケット、大きな襟、白いポケットチーフ、オレンジのスカーフ。この貴重な映像には、カールに寄り添うジャックも写っている。ジャックはカールより少しだけ背が高く、二人の雰囲気はよく似ていた。社会情勢やオイルショック等、当時世間を揺るがしていた憂い事の存在など微塵も感じさせない、調和の取れた美しい室内を、二人はゆっくりと歩いていく。その姿はまるで、絵画の世界に閉じ込められているかのようだった。誰の手も届かない、はるか遠くの、静寂に包まれた二人だけの世界。あとはあの懐かしい薄霧でも立ち込めれば、カールが演出する幻想の世界は完璧なものになっただろう。このようにしてカールは、母親の影響によって美化された戦間期のドイツを、自分なり

訳注5——ヴァルター・ラーテナウ
ヴァルター・ラーテナウ（一八六七〜一九二二年）は、ドイツのユダヤ系実業家、政治家、作家。多国籍電機メーカーAEG社長。ワイマール共和国初期に外相を務めたが、極右テロ組織に暗殺された。

に再現していたのだ。

カールはのちにこう説明している。「私はずっと、生まれてくる時代を間違えたと感じていた〔8〕」だからカールは、自分が生まれる前の時代にオマージュを捧げようとしていたのかもしれない。若きエリザベートがオットーと二人で幸せに生きていた、戦前の麗しき時代に——いや、そんな感傷的な解釈は彼にふさわしくないだろう。なぜならカールはもう、「カイザー（皇帝）」になったのだから。

その古き良き時代に着想を得たドレスを、カールはクロエのコレクションにも登場させた。繊細で美しいドレスを通して蘇ったその世界に、ファッションライターたちは魅了された。「カールは新たに、自分のスタイルをトータルデザインするというコンセプトを打ち出しました」パトリック・ウルカードによれば、それは「自分が一つの『スタイル』であるという意識を持つこと。自分というスタイルに従って居住空間をつくり、ライフスタイルを築き上げていくことにより、より一貫性のあるスタイルが確立される。そして『スタイル』として生きることで、周りに影響を与えるインフルエンサーになる、という考え方〔9〕」だという。カールは自らの理想のスタイルを、自分の手で触れ、確かめながら、つくり上げていった。「ハリウッド映画の主人公を思わせる、ドラマチックで謎めいた人物になりきったりしていました。カフェ・ド・フロールでは、マレーネ・ディートリヒ［訳注6］が演じた役柄のように気前よく支払いをして、皆を驚かせていました〔10〕」とヴァンサン・ダレ

訳注6——マレーネ・ディートリヒ
ドイツ出身の女優、歌手。一九二〇年代、ワイマール共和国期のドイツ映画全盛期に頭角を現し、一九三〇年代からハリウッド映画に出演、一九五〇年代以降は歌手として活動した。

訳注7——ラ・パイヴァ
第二帝政時代（一八五二～一八七〇年）のフランスで最も有名だったクルチザンヌ（高級娼婦）。出生名はエスター・パウリーネ・ラフマンだが、裕福で身分の高い男性と次々に結婚し、テレーズ・パウリーネ・ラフマン、ヴィロワン夫人、パイヴァ侯爵夫人、ヘンケル・フォン・ドナースマルク伯爵夫人などと名を変えながら、贅沢な暮らしを追い求めた。

訳注8——クルチザンヌ
フランス語で高級娼婦を意味する言葉。本来は宮廷に関わる女性を意味していたが、のちに王侯貴族、高級士官、政治家などを相手とする娼婦を指すようになった。ルイ十五世の公妾だったポンパドゥール侯爵夫人やデュ・バリー夫人、ダンサーでスパイだったマタハリなどが有名。第二帝政からベル・エポックと呼ばれた時期（一八五二～一九一四年頃）のフランスでは「ココット（娼婦、妾の意）」と呼ばれることもあった。

は言う。狭いファッション界では、こうしたカールの振る舞いが嫉妬を買うこともあった。タン・ジュディチェリはこう振り返る。「カールは一部の人から『カイザー』と呼ばれるようになっていましたが、私や友人は『フ・パイヴァ』[訳注7]と呼んでいました。ラ・パイヴァというのは、あるクルチザンヌ[訳注8]のニックネームです。ドイツ帝国のビスマルク首相の愛人だったことや、黄金の蛇口のある豪邸をつくらせたことでも知られています。彼女は紫色が大好きで、自分の屋敷があるパリのシャンゼリゼ通りから、全身紫の服を着て、紫のダイヤモンドをつけ、紫に染めた犬を連れて、同じく紫に染めた馬が引く、紫の馬車に乗って出かけていたというエピソードがあります。当時のカールはハプスブルク帝国に夢中で、とにかくそのことばかり話していました。私たちには、一つのことにこだわり続けるカールの姿が、紫に染まったラ・パイヴァと重なって見えたんです[11]」確かに、カールの考え方や生き方は首尾一貫していた。彼は一貫して、詩情豊かなドイツと啓蒙時代のフランスのはざまにある、あの戦前の、良識ある世界を追い求めていたのだ。

17 亡霊を逃れて

ユニヴェルシテ通りのアパルトマンは本当に美しいし居心地が良いけれど、できるだけ早く引っ越すべきだ――ジャックとエリザベートは口を揃えてそう言った。確かに幽霊を見たと、エリザベートは言う。姿こそ見ていないがカールもそれらしき物音を聞いたことはあり、この場所に不吉ないわれがあることも知っていた。十八世紀に、この建物で殺人があったというのだ。その亡霊が今も彷徨っているのかもしれない。それにしても、ようやく築き上げたこの理想の住まいを離れるのは辛い。散々悩んだ挙げ句、二対一と劣勢だったカールが譲ることとなった。

ドイツのテレビ局が取材した際の映像[1]に、新しいアパルトマンを訪れるカールの姿が収められている。サン・シュルピス広場の噴水を見守る獅子像を背に、カールは軽快に歩き始める。撮影は一九七三年。この年の初夏はずいぶんと涼しかったようだ。ライトグレーのスプリングコートにチェック柄のストールを巻き、ウエストに濃い色のベルトを締めて、カールは正面の建物を見上げていた。最近見つけたこのアパルトマンは、サン・シュルピス広場の北側、六番地にある。そのバルコニーから、母親やジャックがサン・シュルピス教会を眺めている姿を想像していたのだろう。新たな夢の住処をつくるには、申し分ないロケーションだ。

ベージュの帽子をとり、大きなブルーの扉を押して建物の中へ入る。二階に上がると、天井の高い広々とした空間が広がっていた。カールはまだ何もないがらんとした部屋を、次々と見ていく。古い壁紙が剥がされ、床には板やほうき、瓦礫の入った袋が散乱している。作業中の職人たちもいる。カールは、内装の設計を考えたり工事現場を見るのが好きだった。ものをつくる過程というのは、見ているだけでわくわくする。カールは二本の指でひげを撫でながら、新居のインテリアに思いを馳せた。完成図はすでに頭の中にある。基調となるのは引き続き、ハリウッド黄金期をイメージさせる一九三〇年代のアールデコ。ただ今回は、少し趣向を変えてみよう。四本の円柱、ドレープたっぷりのカーテン、随所に置かれた花瓶、白いサテン張りの椅子、そして中央には大きなテーブル。カールの寝室は角の部屋だ。本を置くためだけの部屋も、もちろん忘れずに確保してあった。

18 純粋と不純

ジャックはいつも、セーヌ川を渡り終えると少し立ち止まり、遠くを眺めた。夜のパリは、昼間とはまったく別の顔を見せる。そこに広がるのは謎と秘密に満ちた世界だった。その日ジャックは、パレ・ロワイヤルに向かっていた。フランス革命前、この建物は、フランスの公爵位でも特に格の高いオルレアン公が住む屋敷だった。コメディ・フランセーズの裏手、アーケードに沿って続く建物の二階にはアパルトマンが並び、その下には多くの娼婦が集まる。十八世紀には、パレ・ロワイヤルに立つ娼婦の料金を記載したパンフレットや、娼婦の特徴や質、魅力などを解説したガイドブックまで発行されていたという。巨大な回廊には円柱が立ち並び、違法な賭け事に興じる人たちが集まる賭博場となっている。そしてその同じ場所に、哲学者のドゥニ・ディドロやジャン・ル・ロン・ダランベール、ヴォルテールなどが通うカフェもあった。啓蒙時代を代表するエリートと社会の底辺にいる人々が隣り合う場所だったのだ。

その夜、パレ・ロワイヤルの庭園は静かだった。ジャックは顔を上げ、フランスの女流作家コレット[訳注1]が最後の日々を過ごしたアパルトマンのほうを見た。コレットの潔い文体を愛する、カールのことを思いながら。そして彼に会うため、待ち合わせ場所へと向かった。

さらに歩いて、サンタンヌ通りに着く。第一次世界大戦中、この通りの六三番地には公衆浴場があり、外出許可を得た兵士やほろ酔いのブルジョワが出入りしていた。一九七〇年代半ばになると、この地区はフランス当局の風俗取締班も黙認する夜の街となり、同性愛者や男娼が集まるようになる。デザイナーやアーティスト、作家、裕福な家の子女などがこの通りに繰り出し、「ル・コロニー」や「ル・ブロンクス」といったクラブで夜な夜な遊んでいた。

ジャックはサンタンヌ通り七番地で足を止める。オスマニアン建築の象牙色のファサードに囲まれた黒い扉の向こうに、誰もが憧れる最旬スポットがあった。ナイトビジネスの王と呼ばれたファブリス・エメールが経営する「ル・セット」は、高級レストランにダンスフロアを併設したクラブだ。「アート界やアングラ界でも選ばれた者だけが入れる、かなりプライベートなクラブでした。流行りを追うファッション業界人がみんな集まっていて、同性愛者も多かったですね。皆、なんとかしてそこに加わろうとしていましたが、潜り込むにはコネやツテが必要でした。美しい女性は難なく入れてもらえたようですけど［1］」そう話すフレデリック・ロルカは当時、シャネルのフィッティングモデルをしており、ル・セットにも入ることができたという。ミュージシャンのミック・ジャガーやイギー・ポップ、コメディアンのティエリー・ル・ルロンなども来店していた。フレデリック・ロルカはこう続ける。「ドイツの映画監督ライナー・ヴェルナー・ファスビンダーが、悪そうな男の子たちを連れているのを見かけることもありました。人気キャスターのイヴ・ムルジはしょっちゅう見かけました。全身赤いレザーの服を着ていたり、ファッション業界のイットガール［訳注2］のは

訳注1――コレット
シドニー＝ガブリエル・コレット（一八七三〜一九五四年）は、「コレット」というペンネームで活動したフランスの女性作家。性の解放を叫び、奔放でバイセクシュアルな恋愛遍歴で知られる。一九〇六年に離婚し、パリのミュージックホールで踊り子として活躍。同性の恋人と付き合った後、一九一二年に再婚。子どもをもうけるが、乳母に任せきりだったという。一九一四年、パリ・オペラ座の新作オペラの台本『子供と魔法』を手掛ける。音楽担当はモーリス・ラヴェルだった。その後、再婚相手の連れ子と関係をもったことから離婚。この関係をヒントに小説『青い麦』を執筆する。一九三五年、十七歳年下の相手と再々婚し、その後は幸せな結婚生活を送った。コレットは、最も感覚的な女性作家といわれる。一九二〇年に発表した『シェリ』を皮切りに、約五十点の小説を刊行した。男女の関係や恋愛の苦悩を描いた自叙伝的な作品が多いが、牧歌的な作品もある。鋭い観察力、細やかで生々しい描写、情熱的で官能的なムード、そこかしこにちりばめられたシニカルなエスプリが特徴。

しりとも言えるパット・クリーブランドやドナ・ジョーダンを連れていたりと、いつも目立っていましたね[2]」

ジャックが顔を見せると、ドアは魔法のように開いた。カールと合流し、ディナーが始まる。レストランの中は、美しいマネキンがずらりと並ぶショーウィンドウのようだった。「最初はみんな行儀よく食事をしているのですが、デザートやカフェが出てくる頃になると、席を立って移動し始めるんです。それから、シャンパンの効果もありましたね。飲むと気分がぐっと盛り上がるでしょう？　それでみんなが一気に打ち解けて、おしゃべりを始めるという感じでした[3]」当時この店の常連だったトランスジェンダー、ジェニー・ベレール〔訳注3〕はそう話してくれた。カールとジャックの隣のテーブルにはイヴ・サンローランとピエール・ベルジェのグループ、その奥には高田賢三のグループが座っていたが、特に交わることなく、それぞれに一定の距離を保っていた。カールはそんな様子を観察し、楽しんでいた。ジャックはいつも誰かを口説き、しゃべり、大笑いしている。ジャックはその夜、賢三の友人からもらったレザージャケットを着ていた。ジャケットには、ボーマルシェ城のあるヴァンデ県の紋章をかたどったスタッズ〔訳注4〕があしらわれ、ドゥ・バシェール家のモットー「Ma foy mon roy（私の信仰、私の王、の意）」が刻まれていた。

やがて人々の身体や頭に、酔いが回っていく。酔いに身を任せるジャックと、しらふのままのカール。地下へと続くのは、天国への階段か、地獄への階段か。フレデリック・ロルカはこう話す。「螺旋階段はとても狭くて、上り下りするときは壁に張り付かないといけませんでした。地下のスペースはす

訳注2——イットガール
最も旬で、皆が真似したくなるような、注目度の高い女性のこと。

訳注3——ジェニー・ベレール
一九八〇年代のフランスでアイコン的な存在として知られたトランスジェンダー。パリのナイトクラブ「ル・パラス」の黒服として働いていた。ホームレスを入店させる一方で俳優マイケル・ダグラスの入店を拒否したというエピソードもある。フランスや米国の有名歌手、デザイナー、アーティスト、文化人、政治家などと親交があった。現在も女優やタレントとして活躍している。

訳注4——スタッズ
ファッションでいうスタッズとは、円錐や四角錐、星などの形をした小さな金属パーツ（飾り鋲）のこと。靴やバッグ、ブレスレット、レザージャケットなどの表面に装飾としてあしらい、ロック＆パンクな雰囲気を演出することが多い。

ごく狭いけれど超モダンで、床から天井まで全面が鏡張り。だから実際より広く感じましたね。奥にはバーがあり、酔ってハイになった人たちが集まっていました[4]」

ル・セットの地下は当時、パリのどこよりも退廃的で浮世離れした空間だった。通路の壁沿いにはソファが並んでいて、フロアでは、百人ほどがディスコミュージックに合わせて身体を揺らし、入り乱れ、汗ばみながら、激しく踊り続けていた。アーチ型の天井にミラーボールのカラフルな光が反射し、タバコの煙がそれを霞ませる。ふと、ジャックの姿が見えなくなる。しかしカールは、自分のパートナーがどこで何をしているのかを把握している。そして周りの誰もが、それを知っていた。

クリスチャン・デュメ＝ルヴォウスキによれば、ジャック・ドゥ・バシェールはもともと、『失われた時を求めて』から抜け出してきたような正統派のスタイルを好んでいた。「一九七〇年代初頭の写真に写っているように、タイトなスーツとベストを着込み、籐のステッキを持って、正装した幼い主人公のような格好をしていました[5]」しかしその後、彼のダンディズムはさまざまに変化していった。ジャックは日が暮れると身支度に取り掛かり、理想の美を追求する。また、彼は自ら、不穏な評判が流れるように仕向けていた。クリスチャン・デュメ＝ルヴォウスキはこう続ける。「ジャックについてはたくさんの噂がありました。好意的なものから、かなり辛辣なものや悪意のあるものまで。いろいろなあだ名も耳にしました。彼のフルネームをもじった『ジャック・ドゥ・パ・シェール・ドゥ・ボンマルシェ』（安い男、の意）とか、『ル・ベル・オテロ』（ラ・ベル・オテロ[訳注5]をもじった言葉）とか、『素性の知れない囲われ者』（『高級男娼』の婉曲表現）とかね[6]」ジャックは酒を飲み、ドラッグをやり、愛人を次々と変えて、さらなる刺激を求め続けた。

ジャックの弟のグザヴィエもこう話す。「兄はとにかく快楽を追い求める人

訳注5――ラ・ベル・オテロ
スペイン生まれのダンサー、女優（一八六八～一九六五年）。本名はカロリーネ・オテロ。王族など財力や権力のある男性と関係を持って豪奢な生活を楽しみ、女性たちの嫉妬の的となった。

でした。すべてを知り、すべてを味わい、すべてを享受したがっていました。ただ、自滅的ではなかったですね。ちゃんと自分の限界を知っていて、それを超えるようなことはしませんでした[7]」天使というわけでもなく、悪魔とも言い切れない。カール同様、ジャックもさまざまな顔を持っていた。どの顔を見せるか。それを決めるのは本人だ。「ジャックはさまざまな社会に属していて、普通ではなかなか入り込めないような世界にも顔を出していました」とクリスチャン・デュメ＝ルヴォウスキは言う。「それぞれの世界は、目に見えない壁のようなもので仕切られていた。だから、『他の世界』に属するジャックの知り合いに会うことはありませんでした[8]」いずれにせよ、ジャックは昼の顔も夜の顔も、どちらも魅惑的だった。

「ああ、あの有名人！[9]」ヴァンサン・ダレは当時をこう振り返る。「ジャックのことは、同性愛者が集まるナイトクラブでよく見かけましたよ。うっとりするほどエレガントでした。タキシードを着たり、一九三〇年代風のファッションを取り入れたり、かと思えばフォークロア調の着こなしをしていたりと、いつもスマートに決めていて、一緒にいるのは似たような雰囲気のゲイの人たちばかりでした。当時、私はまだ若かったし、彼のことはちょっと怖かったので、避けていたんです。たちが悪いという噂もあったし、悪魔のようなやつだと言う人もいましたから[10]」

ジャックにこうした悪い評判がつきまとうことを、カールは面白がっていた。彼はジャックのことを、「悪魔の手でつくられた、グレタ・ガルボ［訳注6］の美貌を持つ人間」と形容した。「私とはまったく正反対のタイプで、一緒にいて一番楽しかった。手に負えないところや我慢ならないところもあったけど、それがいいんだ。完璧だったね。彼には、他人の嫉妬心を恐

訳注6——グレタ・ガルボ　スウェーデン生まれの女優。サイレント映画期とトーキー映画初期に活躍したハリウッドの伝説的スターで、数々の受賞歴がある。眉をひそめる、口角を下げる、唇を震わせるといった繊細な演技で感情を表現し、男女ともに魅了する美貌と魅力を備えていると評された。まだ三十六歳だった一九四一年に引退し、一九九〇年に八十四歳で死去した。

ろしいほどに煽る才能があった[11]」

カールは長らく、自分の分身を探していた。二人を知る人たちにとって、カールとジャックは分身どころか正反対の人間だった。しかしカールにとっては、鏡に映った自分のような、自分の対極にいるジャックこそが理想のパートナーだったのだ。

ル・セットのダンスフロアで、ジャックはディアンヌ・ドゥ・ボヴォ＝クラオンに会った。若いディアンヌは厳格な家庭に育ち、煩わしい束縛からなんとかして逃れようとしていた。ディアンヌはこう語っている。「私の雰囲気や容姿は、良家の子女という感じではありませんでした。常識外れで、変わり者で、挑発的。そういうところがジャックの気を引いたのでしょう[12]」少し前にカフェ・ド・フロールで出会っていた二人は、この夜、急接近した。クリスチャン・デュメ＝ルヴォウスキは二人についてこう説明する。「ジャックは、自分と釣り合うような称号や社会的身分をもつ若い女性と結婚するんだ、と言っていました[13]」。ディアンヌはスペイン王家の縁戚にあたるプリンセスで、その祖父はボリビアの有名実業家で美術品収集家だったアンテノール・パティーニョ。まさにジャックが理想とする女性だったのです[14]」

ジャックはディアンヌに心底夢中で、結婚も考えていた。ディアンヌはこう振り返る。「ドラッグ、セックス、アルコール。私たちはめくるめく快楽の中にいました。ジャックは危険なことや夜遊びが大好きで、実験的に生きているような人でした。あの頃はそういう過激な遊び方ができたんです。何もかもが許されていて、誘惑に満ちた時代でした。今を楽しむことに夢中で、先のことなどまったく考えていませんでしたね[15]」

ル・セットで、カールが地下に降りて人の群れに交じることはめったになかった。気が向くと階段の上から地下のフロアを見下ろして、ジャックの姿を目で追う。その姿は、まばゆい照明に引き寄せられ、ひらひらと舞っている一匹の蝶のようだった。カールがジャックのことを心配している様子はなかった。高田賢三はこう語る。「二人の関係は、私には理解しがたいものでした。ジャックは本当に自由で、しょっちゅう遊びまわっていたし、どこへ行っても友だちに囲まれていた。あんなに自由にさせるなんて、カールはなんて寛大なんだろう、と思っていましたよ[16]」

カールはジャックが、自分の中にある「邪悪なもの」に身を委ねるのを傍観し、流されるがままにさせていた。カールの中にも「邪悪なもの」はあるが、ジャックのそれに比べればずいぶんとおとなしかったようだ。カールはずっと自分を律して、時代の狂乱に飲み込まれずにいられたのだから。「ガラスを一枚隔てて眺めているような感覚だったね。自ら身を滅ぼす人たちのことをすごいなとは思うよ。ただ私の場合、どんな欲求よりも防衛本能が勝るんだ。だからタバコを吸ったこともないし、お酒も飲んだことがないし、ドラッグにも手を出したことがない[17]」パリの夜に興奮が満ちていくなか、カールは本を読んだり絵を描いたりして、静かな情熱に身を任せるほうを好んだ。しかしカールの場合はすっかり没頭してしまうので、「節度のある遊び」とは言いがたかった。

正午を告げるサン・シュルピス教会の鐘が、冬の冷たい空気を震わせる。ジャックの帰宅は午後になることもあった。家に戻ったジャックは、「Mein Kaiser（我が皇帝よ）」と言い放つ。弱みを一切見せようとしないカールをこんな風に呼び、皮肉ることができるのは、この世で彼ひとりだった。ジャックは誰よりも先にカールの鎧に気づき、そこに隠されているものを見抜いたし、そのことはカールの胸にしっかりと刻まれていた。一方カールは、ジャックをニックネームで呼んだ。ディアンヌはこう語る。「カールはいつも、ジャックを縮めて『ジャコ』と呼んでいました。（中略）普段、問題のないときは『ジャコ』、悪ふざけが過ぎたときは『ジャック』でしたね[18]」

　エリザベートの姿は見えないが、きっと奥の部屋の長椅子で、くつろぎながら本でも読んでいるのだろう。ジャックは大きな窓から、サン・シュルピス教会の北塔を眺めた。彼はパリに来た頃、大好きなユイスマンスの小説『彼方』に登場するこの教会の近くに住むことを夢見ていた。この小説には、教会の鐘をつく鐘楼守のアパルトマンを舞台としたシーンがある。サン・シュルピス教会の北側と南側にはアシンメトリーな塔があり、主人公とその親友、そして鐘楼守は、この塔のどこかにあるアパルトマンで夕食を共にする。そこでの話題は、黒ミサについてだった。そのミサには、パリに住む名の通った富豪たちや、群れをなしてパリの街に漂う悪霊たちが参加するのだという。ジャックはこの小さな本を、いつもポケットに入れて持ち歩いていた。そして時折、まるで死をもたらす毒が仕込まれているかのように本をそっと開き、ある一節を読んだ。幾度となく読み返したそのシーンに、ジャックは自分を投影するようになっていた。

「こうした事件は、肉欲に対する恐怖を、デュルタルの心に残した。この恐怖こそは人の良心をつなぎとめて、誘惑のために邪道に引き入れられる危険を予防するものである。(中略)前の日に酒を飲みすぎた男は、翌日は強い酒を止めようと考えるものだがそれと同様に、その日の彼は、寝台と全く関係のない、純真無垢な愛情がしきりに望ましかった[19]」このくだりを読むと、こんな光景が目に浮かぶ。香炉から立ち上る煙が、礼拝堂の薄暗い通路や高い円天井へと広がりながら、パイプオルガンへと到達する。そこへ、黒ミサを体験した主人公デュルタルが、救いを求めて逃げ込んでくる。そして古く清らかなステンドグラスを見上げて、一心に祈るのだった。

　ジャックもまた、闇を照らし、導いてくれる光を探し求めていた。そしてカールの中に、守護者の一面を見出したのだ。ディアンヌは言う。「カールは、時折ジャックの中で目を覚ます『邪悪なもの』から彼を守ろうとしていました。不可解で受け入れがたく、目を背けたくなるほど恐ろしい状況に陥ったときに、自分を愛し、そこから救い出してくれる人がいる。ジャックは本当に恵まれていました[20]」

　ジャックの夜は、いつもあっという間に過ぎていく。家に着いても、頭の中はまだ夜の光景や音、匂いで満たされている。裸体、ネオン、タバコの煙……。そんなとき、ジャックには決まって行う儀式があった。カールの仕事部屋に行き、彼と向き合い、前夜の話をするのだ。カールが店を出た瞬間までさかのぼり、そのあと何が起きたのかをすべて話して聞かせる。恍惚の表情、生ぬるい汗、乱暴な快楽。ジャックが通い詰めるサンタンヌ通りのバーには、バックルームと呼ばれる怪しげな密室があった。誰が来ていて、何をしていたのか。ジャックはカールに、この秘密の小部屋で起きたこともすべて報告する。ディアンヌはこう説明する。「カールはジャックの話を大いに楽しみ、追体験を堪能していました[21]」「ジャックの語る物語はすべて、カールが自らに禁じた生き方でした。カールはジャックを通して別の人生を楽しんでいたのです。ジャックはカールの人生を生きることはできなかったし、カールはジャックのように生きることはできませんでしたから[22]」トマ・ドゥ・バシェールも同意する。「過激で危ないことをジャックが代わりに経験して、カールにも体験させてあげていたのでしょう[23]」ジャックの冒険譚は、蠱惑的であり挑発的でもあった。

　穏やかな昼下がり、若く向こう見ずなジャックは、パリの夜を存分に遊び尽くして、何ひとつ変わりない美しい姿で帰ってくる。それはまるで、一九七〇年代に蘇ったドリアン・グレイ[訳注7]のようだっ

訳注7――ドリアン・グレイ
オスカー・ワイルド唯一の長編小説『ドリアン・グレイの肖像』の主人公。美青年ドリアン・グレイは、友人の画家に描いてもらった自身の肖像画を見て、自分ではなく肖像画のほうが歳を取ればいいのに、と考えた。そしてそれは現実となった。ドリアン本人は若く美しい姿を維持し、一方で、肖像画は醜く老けていく。二十年後、その秘密を知られたドリアンは殺人を犯し、醜さを増していく肖像画を破壊しようとするが、その瞬間に自分が老人となって死んでしまう、という物語。

た。若さ特有の無謀さと不敵な自由が、官能的な香水のようにジャックの周りに漂う。オスカー・ワイルドの小説の中で、本人の代わりに醜く歳を取っていったドリアン・グレイの肖像画とは違い、カールのアパルトマンの奥にひっそりと飾られたメンツェルの絵が、その輝きを失うことはなかった。ジャックの顔と同様に、絵の中の王や哲学者、招待客の顔はいつまでも若く美しい。まだ当分の間は。

19 危険な関係

ル・セットでは、相変わらず晩餐とパーティーが繰り返されていた。レストラン、笑い声、シャンパン、ダンスフロア。しかしある夜、この甘美なムードに水を差す事件が起きた。高田賢三はその日も、カールたちとは少し離れたテーブルで食事をしていたという。「突然、レストランの一角が騒がしくなったんです。騒ぎの主は、イヴのパートナーだったピエール・ベルジェと、カールでした。（中略）ル・セットで言い争いが起こるなんて珍しいので、びっくりしましたよ[1]」ル・セットの客層はかなり幅広かったが、良識のある人ばかりだった。「みんな唖然としていました[2]」と賢三は言う。最初は短い言葉のやり取りだったが、口調は次第に激しくなり、やがて言い争う声は店内に響き渡るほどになった。

　衝突の原因は、禁じられた愛をめぐる痴情のもつれだった。ジャックと親しかったディアンヌ・ドゥ・ボヴォ＝クラオンは、その時のことをこう話してくれた。「簡単にまとめると、こんな感じね。二人の男が出会い、惹かれ合って、もっと深い関係になりたいと思った。ただ、この二人の男というのが、イヴ・サンローランとジャック・ドゥ・バシェールだったから厄介なことになってしまった[3]」ディアンヌは続ける。「ちょっとした一目惚れから始まったんだと思います。当時はみんな、軽いノリで『運命を感じた』などと言っていましたし。だからピエール・ベルジェが口を出さなければ、あんな大きな騒ぎにはならなかったはずなんです。カールはこういうことで騒ぎ立てたりしませんから［4］」

ジャックとイヴの関係は、このル・セットで始まった。二人はほぼ毎晩、テーブルをいくつか隔てただけの場所で食事をしていた。イヴはピエール・ベルジェと、ジャックはカールと。そして一九七三年の末頃には、二人は次第に大胆に、思わせぶりな視線を交わすようになっていく。

惹かれ合い、愛し合うようになった二人。アバンチュールのはずが、本気になっていた。イヴはジャックに夢中だった。ただ、ジャックはそこまでではなかった。

ではジャックは、この「一目惚れ」の先に何を求めていたのだろうか。ディアンヌはこう説明する。

「ジャックは人の気持ちを煽るのが好きでした。カールの気を引いたり、やきもちを妬かせたいという気持ちがあったのかもしれません。普通のカップルの場合、浮気して好きな人を裏切るときって、困らせてやりたいという気持ちがあったりしませんか？　そうでなければ、浮気する意味なんてないですよね［5］」

ジャックとイヴの親密さは、ピエール・ベルジェの心をかき乱した。しかし「カールは、ジャックが何をしようとも彼を愛し続けました［6］」とディアンヌは言う。「そしてカールに対するジャックの愛も、変わることはありませんでした。メディアでも騒がれましたし、ジャックのこの軽はずみな行動が二人の関係をギクシャクさせてもおかしくなかった。でもカールはすぐに気持ちを切り替えて、まったく気にしませんでした［7］」こうして、大喧嘩をすることも、ジャックがカールのもとを去ることもなく、二人の関係はそのまま続いていった。

一方、イヴ・サンローランの方は、叶わぬ恋にとらわれ、苦悩の淵にいた。毎晩飲み歩き、ドラッグに溺れ、眠ることもできず、仕事も手につかない。ある夜、イヴは車でサン・シュルピス広場に押しかけた。ジャックの住むアパルトマンの窓が開いているのを見つけ、その下をうろうろと歩き回りながら、愛を叫ぶ。イヴが奏でるセレナーデは愛しい人へは届かず、近隣住民に通報される騒ぎとなった。そして警察がやってきて、イヴは連行されてしまった。真夜中に連絡を受けたピエール・ベルジェは、酔いが覚めかけてぼんやりとしたパートナーを大急ぎで迎えに行ったに違いない。

ピエール・ベルジェはなぜあの夜、ジャック本人ではなくカールに詰め寄ったのだろうか。イヴのような天才がジャックの罠にはまるなど、ピエールにとっては悪夢でしかなかった。そんなことは絶対にあってはならない。屈辱であり、最大の危機だ。しかもこのスキャンダルは、イヴ個人にとどまらず、メゾン イヴ・サンローランの名声を汚すための陰謀だった可能性さえある。ピエールはそう考えていたのだ。ル・セットで起きたこの「対決」の背景には、おそらく、カールの活躍に対するピエールの苦々しい思いがあったのだろう。高まり続けるカールの名声、仕事というものの新たな捉え方、雇われデザイナーとしてあらゆるオファーを受け入れる自由な働き方、その才能とバイタリティ……。ピエール・ベルジェは、口にこそしないが、転換期にある一九七〇年代のファッション業界において、カールが大きな影響力を持ちつつあることを認めざるを得なかったのだ。

カールに敵がいるとすれば、それはイヴではなく、ジャックに関する悪評を意図的に広めることのできるピエール・ベルジェだった。カールとイヴの関係は、この一件によって完全に壊れてしまった。兄弟と妹のようだった、カールとイヴとヴィクトワール。カールのオープンカーでパリを走り回り、トゥルノン通りのアパルトマンで朝方まで語り合い、寄り添って眠った日々は、遠い過去のものとなった。ディアンヌもこう語る。「カールとイヴはそれぞれにクリエイティブな世界を築き上げ、すでに別々の世界で生きていました。二人の関係は、ほんの些細なことでも壊れてしまうぎりぎりのところにあり、この一件がコップの水を溢れさせる最後の一滴となってしまったのです[8]」

カールとイヴの決別は、避けられないことだったのかもしれない。しかし本当の確執は、カールとイヴではなく、カールとピエールの間にあったのだ。「騒ぎを大きくしてジャックを執拗に攻撃したピエールを、カールは恨んでいました[9]」とディアンヌは言う。トマ・ドゥ・バシェールは、こんな話も耳にしたという。「ピエールがサン・シュルピス広場までやってきて、ジャックに暴力を振るおうとしたらしいんです[10]」しかしピエール・ベルジェは、それを否定している。「ジャック・ドゥ・バシェールに会いに行ったことなど一度もないね。私の性格を知っていれば、そんなものは根も葉もない噂にすぎないと、すぐにわかるはず。なにしろ私は何事にも構わないたちだからね。これは私の最大の欠点であり、考えようによっては長所なのだろうけど[11]」ともかくその頃から、イヴはジャックに会うことも、電話で話すこともできなくなった。ジャックはジャックで、家に引きこもるようになっていた。トマ・ドゥ・バシェールの話によれば、ジャックは銃で狙われているという妄想に取り憑かれていた。家の中にいても、窓から撃ち込まれるかもしれない銃弾を怖れて、壁伝いに移動するほどだったという。

20 カール、城主になる

カールの趣味は、人々に忘れられた書籍を発掘することだ。カールの愛読書の中には、サン＝シモン公爵の『Mémoires（回想録、の意）』や、ヴァージニア・ウルフの書簡集のほか、エリザベス・フォン・アーニム［訳注1］が匿名で書いた処女作『Elizabeth and Her German Garden（エリザベスと彼女のドイツの庭園、の意）』もあった。エリザベスは結婚後、プロイセンの貴族である夫ヘニング・アウグスト・フォン・アーニム＝シュラーゲンティン伯爵とともに一族の所領があるポメラニア地方［訳注2］に移り住み、そこでガーデニングに目覚める。英国人の彼女はドイツ北部の厳しい気候にもめげず、イングリッシュガーデンの手法を取り入れた庭づくりを進めていく。その様子を詳細に記録したのが、一八九八年に出版されたこの本だ。自分が育てている花の様子を書き留めただけの内容だったが、この作品は大評判となった。カールの母親と同じ名前を持つエリザベス・フォン・アーニムは、自分の住んでいた土地についてこう書いている。「私たちは人里離れた場所に住んでいる。だから私たちに会いたいと思う人たちは、

訳注1――エリザベス・フォン・アーニム
英国人作家。本名はメアリー・アネット・ボーシャン。一八九一年にプロイセンの貴族であるヘニング・アウグスト・フォン・アーニム＝シュラーゲンティン伯爵と結婚し、ドイツ姓となる。一八九八年に匿名で出版した自叙伝的な作品『Elizabeth and Her German Garden』で文筆家としてデビューした。カールが好きなニュージーランド出身の英国人作家キャサリン・マンスフィールドは、エリザベスの従姉妹にあたる。

訳注2――ポメラニア地方
現在のポーランド北西部からドイツ北東部にかけて広がる地域。ポモージェ地方とも言う。

並々ならぬ労力をかけて足を運ばなければならない[1]実はカールも、そういう場所に住んでいたことがある。十五年ほどの間だったが、パリの喧騒から遠く離れた場所で、彼なりの「のどかな楽園」をつくろうとしたことがあったのだ。

ジャックが見つけてきたその物件は、パリから四時間、ブルターニュ地方の海沿いの街ヴァンヌの北にあった。パリから車を走らせてブルターニュ地方に入ると、緑の割合がぐっと増える。音もなく後ろへと流れていく木々を眺めていると、幻想的な森に迷い込んだような気分になった。やがて目的地が近づき、車は減速する。ジャックは、ドゥ・バシェール家が住むベリエール城からドライブに出かけたときにこの場所を見つけたのだという。カールはきっと気に入るに違いない。案内するジャックは、誇らしげだった。

その物件は、延々と続く長い塀に囲まれていた。塀のすきまから建物のファサードがちらりと見えて、期待をかき立てる。かなり傷んではいるものの、窓が二十五個、暖炉が四つある、小さな城だった。澄み切った青空を背に、広い敷地の奥に建っている。この屋敷はパンウェット城と呼ばれていた。その規模やスタイルは、メンツェルが描いたフリードリヒ二世の居城サンスーシ宮殿とは比べ物にならないが、同じ時代に建てられたものだという。エントランスの三角屋根の下には、この城が完成した年が刻まれている。一七五六年。モーツァルトが生まれた年だ。鉄格子の門扉を入ると、庭園の左手に大きな池があり、その奥には、かつてはきちんと刈り込まれていたのだろう、枝の伸びたツゲの植え込みが迷路のように続いていて、思わず足を踏み入れてみたくなる。その魅力にいざなわれて、カールはこの城を買うことに決めた。

一九七四年七月九日、カール・ラガーフェルドはフランスの城を手に入れ、城主となった。幼い頃からずっと追い求めてきたあの理想の世界へ、また一歩近づいたのだ。これまで数々のアパルトマンを改装してきたが、この城とは特別な運命の糸で結ばれているように感じた。「カールはひとつ夢を叶えてしまうと、それについては興味を失ってしまうんです。そしてまた次の新しい夢を見つけては、そこに向かっていく。その繰り返しでした[2]」と、パトリック・ウルカードは言う。パトリックは当時『ヴォーグ』誌のアートディレクターを務めていたが、建築史家でもあった。彼が初めてカールに会ったのはカフェ・ド・フロールで、紹介してくれたのはイタリア人ファッションエディター、アンナ・ピアッジ［訳注3］だった。パトリックはこう回想する。「ちょうどカールが、ブルターニュに小さな城を買ったと皆に報告しているところでした。あの城の建築様式はブルターニュ特有のものではなく、むしろパリのフォーブル・サンジェルマン界隈に建ち並ぶ大邸宅に似ていました。私はカールに、こうアドバイスしました。『改築を始める前に、建具造作、塗料、面積やボリューム、造園技術など、この家が建設された当時の、あらゆる仕様書を手に入れたほうがいい』とね[3]」カールは早速、担当者を決めて仕様書を探すよう言いつけると、改築の構想を練りはじめた。アイデアを書き留め、スケッチを描いていく。部屋や空間をどう演出するか考え、そのビジョンを細かく描写していった。パトリック・ウルカードはこう話す。「カールは空間認識能力が高く、空間の使い方もうまい。活用できない空間はないと考えていました。ただやみくもに装飾を加えて広大な空間を埋めるのではなく、どの空間にもそれぞれに意味をもたせて、この家の美学をかたちづくる上で欠かせない役割を与える。それが、カールの家づくりのルールでした。新しい家で何をするのかと聞かれると、彼はいつもこう答えていました。『仕事をする。友人を招く。空間を余すことなく使い切る。そ

訳注3——アンナ・ピアッジ
一九三一年、ミラノ生まれのファッションエディター、スタイリスト、翻訳者、作家。「ユーモア、ジョーク、遊び」をたっぷりと詰め込んだ奇抜なファッションに身を包み、スタイルアイコンとして名を馳せた。鮮やかなブルーに染めた髪、ステッキ、帽子がトレードマーク。一九六〇年代、イタリアの出版社で翻訳者としてキャリアをスタート。米『ヴァニティ・フェア』誌の復刊に携わり、イタリア版『ヴォーグ』誌ではファッションエディターとして長年活躍した。一九八〇年代に雑誌『ヴァニティ』(『ヴァニティ・フェア』とは別物)を立ち上げた経験もある。一九七〇年代後半、まだ「ヴィンテージ」という概念がなかった時代に古着などを取り入れ、「ヴィンテージアイテム」を用いた新たなスタイリングを提案した。さまざまな色やテイストの服をミックスする「マッシュアップ」の手法を浸透させたのも彼女だと言われている。カールは、ミューズとして敬愛したアンナのデッサンを数多く描いており、一九八八年にはそれをまとめた書籍『Lagerfeld's Sketchbook : Karl Lagerfeld's Illustrated Fashion Journal of Anna Piaggi』を刊行している。文学やアートを愛する批評家であり、五カ国語を流暢に操る語学の達人でもあった。二〇一二年、ミラノの自宅で死去した。

のために家をつくっているんだ[4]』と」カールは、階段を上がったところに回廊を設け、そこを通って大きな寝室に入るようにしたいと考えていた。リビングルームは、どこからでもアクセスしやすく、客を呼びやすいように、一階に配置することにした。

いよいよ、工事が始まった。ダイナマイトによる発破を繰り返しながら、池をつくり、焼失した翼棟を再建し、建物の前を整地し、庭園をつくり直した。カールが目指したイメージは、啓蒙時代のアール・ド・ヴィーヴル（暮らしの美学）だった。パトリック・ウルカードはこう続ける。「カールはこの城に、十八世紀の邸宅の趣を再現しようとしていました。その時代の豊かな発想力に心酔していて、『快適さの概念や人間工学はこの時代に生まれたんだ』といつも言っていました[5]」また、鏡をあちこちに配してその反射を利用するなど、光を活かす内装を目指した。上品な手すりをあしらった大階段を下りるとダイニングルームがあり、そこからまた上の階へ行くと書斎がある。スムーズに暮らせるよう、遊歩道のようになめらかな動線を考えた。そしてその動線は庭園へと延びて、カールが「ル・マイユ」と名付けた並木道へとつながる。ロココ期を代表するフランスの画家フラゴナール[訳注4]の絵に出てきそうな石造りのベンチが並び、大きな木々が涼しげな影を落とす。「川沿いへと下っていくこの数本の遊歩道を、カールはとても気に入っていました。プライベートな小径もあり、親しい人たちと散歩を楽しんでいましたよ[6]」建築好きのカールはここでも細部にこだわり、適当に仕上げた場所はひとつもなかった。庭園には、ヴェルサイユ宮殿のものと同じ鉢に植えたオレンジの木を並べた。造園師のミシェル・リギデルは、細かい指示を受けていたという。「ラガーフェルド氏は、ツゲの生け垣で縁取った十八世紀風の庭園を希望されていました。はっきりとしたイメージをお持ちでしたね。少し

訳注4――フラゴナール
ジャン・オノレ・フラゴナールは、十八世紀後半に活躍したフランスの画家。ロココ後期を代表する画家として知られる。色恋をテーマにした官能的な場面を上品に美しく描く画家として名声を得るようになり、代表作『ぶらんこ』など、裕福な美術愛好家たちの客間や私室に飾るための作品を数多く手掛けた。

でも気に入らないところがあればやり直してでした[7]」光を効果的に取り入れた、心地よい室内。池に映る空のブルーと、ブルターニュ産の石材のグレーとが、コントラストを織りなす。カールのビジョンに次々と生命が吹き込まれていく。こうしてカールの城は完成し、城主が来るのを待つばかりとなった。

カールは毎週末、パンウェット城に赴いた。カールはこの城を、町の名前にちなんで「グラン・シャン城」と名付けた。この「グラン・シャン」はフランス語で「大きな野原」を意味する。カールの名字「ラガーフェルド」と同じ意味だ。カールはプロイセンの王であり、フランスの君主であり、伝統を守り続ける貴族だった。「ドイツでは、貴族が住む城にカーテンはない。カーテンをつけたり魚料理用のナイフを使ったり、わざわざ名字に『ドゥ(de)』をつけて高貴なふりをするのはブルジョワ階級だ。貴族はそんなことはしない。する必要がないからね[8]」カールにとっては、城の外観やその風格こそが最も大切なことなのだった。パトリックはこう話す。「この城では、パリにいるときのように、誰かが急に訪ねてきて邪魔をされるということはありません。だから仕事に集中できたし、自分のための時間も取れた。いくらでもデザイン画や絵を描くことができたんです。(中略)カールは必ず、お気に入りの音楽をかけていました。リヒャルト・シュトラウスが作曲したオペラ『ばらの騎士』とかね。音楽は大きく開け放した窓から庭園へと流れていき、噴水と競演して優雅な雰囲気を醸し出していました[9]」

カールに招待され、このブルターニュの楽園に足を踏み入れることのできた幸運な友人のなかには、カールのミューズだったイタリア人ファッションエディター、アンナ・ピアッジもいた。カールは、すでにスタイルアイコンとして名を馳せていたアンナにさまざまな服を着せ、さまざまな角度から彼女を描いた。イニシャルのサインを添えたスケッチが、どんどん積み重なっていく。カールは、時代に先駆けてヴィンテージの服を着こなし、エキセントリックなスタイルを貫いていたアンナのことを「Passé parfait, Annachronique en authentique（完璧な過去、アンナ流の正統派レトロ、の意）」と称した［10］。

ジャックは、大きな木製の階段を上りきった先にある、最上階の一部屋を使っていた。カールの部屋は、庭園を一望できる二階の左翼にあった。窓から噴水と鉄の門扉が見え、少し身を乗り出すと、カールがよく午後の散歩に出かける小さな森の、二十六ヘクタールの緑が広がっているのが見えた。建物の右側には、母親の部屋を設けた。エリザベートはほとんど外出せず、いつも池を泳ぐ魚たちを眺めていた。

パリのアパルトマンにアールデコのインテリアを持ち込み、戦前のドイツを再現してみせたカールは、この城ではまったく趣の異なるメルヘンチックな世界をつくった。これまでとは違うファンタジーな世界観は、エリザベートのためでもあったのだろう。パトリック・ウルカードはこう語る。「カールがこの城で過ごした時間は、貴重で思い出深いものとなりました。まさに、おとぎの国だったのです。ひと握りの大切な友だちやジャック、母親に囲まれて、カールはとても幸せそうでした［11］」ジャックも精彩を取り戻した。そしてカールは、時が止まったかのような、この上なく穏やかな日々を堪能していた。

21 嵐に翻弄される蝶のように

「ドリアン・グレイは長い間、その本のことを忘れることができなかった〔1〕」ジャックも同様に、ユイスマンスの小説『彼方』に魅入られ、暗誦できるほど耽読している。彼は、冒涜的なヒーローである主人公デュルタルの足跡を追い、長年の夢を叶えようとしていた。ジャックは今、サン・シュルピス広場のアパルトマンを自由に使わせてもらっている。『彼方』の舞台となった教会の二つの塔が見下ろすなか、ジャックはこのアパルトマンで「現代版の黒ミサ」を行うようになった。「邪悪なもの」の挑発に乗り、破滅願望に導かれるまま、まるでゲームを楽しむかのように。現代版黒ミサとは、政界やマスコミ業界の著名人が喜びそうな、いわくありげなパーティーのことだ。たとえば「ケピ・ブラン」〔訳注1〕と題したパーティーは、フランス軍の外国人部隊を讃え、この部隊に所属していたジャックの友人ジェローム・プロ、別名ジャン＝クロード・プレに敬意を表するものだった。ジェロームは同性愛者の活動家で、君主制擁護論者。極右政党の国民戦線（FN）に所属し、のちにトゥーロンの副市長となった人物だった〔2〕。

アパルトマンの中央にジャックのハーレーダビッドソンが祭壇のように置かれ、上を向けて聖杯に見立てたバックミラーに「ピンクコカイン」と呼ば

訳注1――ケピ・ブラン
フランス陸軍所属の外国人部隊がかぶる白い帽子のこと。

れるドラッグが山盛りに置かれている。ここでは安心してドラッグを楽しむことができた。ジャックのパーティーで提供されるドラッグは、常に上質なものだったからだ。別の部屋には産婦人科の検診台が置かれているが、当然、本来の目的で使われるわけではない。「ジャック主催のパーティーはいつも、ごく普通の集まりといった感じで始まります。しかし夜が深まるにつれて怪しく不気味なムードが満ちていき、やがて狂宴へと変わっていくのです[3]」と、クリスチャン・デュメ＝ルヴォウスキは打ち明ける。

パーティーのテーマはさまざまだったが、一定の傾向があった。ジャックはユニフォームを偏愛していた。外国人部隊の制服もそうだが、襟の高いドイツ軍の制服は特に彼のフェティシズムを刺激した。アパルトマンにほど近いヴュー・コロンビエ通りにある消防署の隊員を何人か招待することもあったし、夜明けに建物の入り口で出会ったゴミ収集作業員を誘うこともあった。アンディ・ウォーホルのミューズだったグレイス・ジョーンズ[訳注2]やローリング・ストーンズのボーカル、ミック・ジャガーなど、セレブが参加することもある。ジャックはさまざまなジャンルや業界、社会的身分の人をミックスするのが好きだった。おかげでパーティーの後、カールに事細かく話して聞かせる冒険譚はバラエティに富んでいて、カールを退屈させることはなかった。

ホストであるジャック自身も美しき堕落に身を任せ、デカダンスに耽溺した。そしてジャックは、その様子をじっと見つめる「視線」を常に感じながら、堕落をも自己演出していた。「カールは、嵐に翻弄される蝶を観察するかのように、ジャックから目を離しませんでした[4]」とトマ・ドゥ・バシェールは言う。カールもこう話している。「世の中を観察するのが好きなんだ。学者が昆虫を観察するようにね[5]」カールも言っていたが、観察者は決し

訳注2――グレイス・ジョーンズ
ジャマイカ系米国人の歌手、モデル、女優。ジャマイカで生まれ、十二歳のときにニューヨークに移住。演劇を学んだ後、モデルとして活躍するようになる。黒豹を思わせる長身の肢体と角刈りのヘアスタイルがトレードマーク。ニューヨークのクラブ「Studio54」でアンディ・ウォーホルに出会い、ミューズとなった。一九七七年に歌手デビューし、ディスコサウンドやレゲエの楽曲で人気を博した。

て悪事をそそのかしたりはしない。そんなことをする必要はないのだ。ただ条件を整えるだけでいい。一九七七年十月二十四日の、あの夜のように。

アフリカやアンティル諸島出身の人たちが集まるナイトクラブ「ラ・マン・ブルー」の前では、入場待ちの人たちがたむろしている。ここモントルイユ［訳注3］にあるこのクラブも人気のナイトスポットで、「ル・パラス」に入れなかった人たちが流れてくる場所だった。ヴァンサン・ダレは、この前衛的なクラブについてこう語る。「ラ・マン・ブルーがあったのはスーパーマーケットの地下にある巨大な倉庫跡で、プロダクトデザイナーのフィリップ・スタルクが初めてインテリアデザインを手掛けた場所でした。黒服の入店チェックをパスして中に入り、鮮やかな赤い手すりのついた大階段を下りていくと、ダンスフロアがあるんです［6］」その年の最注目イベントと噂されたこのイベントには、ファッション業界やショービジネス界の人々、ジャーナリストなど、あらゆる業界関係者が招待されていた。『ブラック・モラトリアム』と題したパーティーで、ジャックとグザヴィエ・ドゥ・カステラ［訳注4］が、ニューヨークでの経験にインスパイアされて企画したイベントでした。数百人単位で人が集まる巨大イベントの先駆けでしたね［7］」とクリスチャン・デュメ＝ルヴォウスキは話す。セレブたちに送られた招待状には、「ドレスコード：破滅的な衣装」と書かれていた。具体的にいうと、レザーや黒で統一した装いということらしい。ファッション業界人たちは何時間もかけて衣装を選び、準備の段階からこのイベントを楽しんだ。フレデリック・ロルカは、友達七人と自宅で合流してからパーティーに繰り出したという。「とても刺激的で楽しかったわ。カールやジャック、グザヴィエの仲間が勢揃いするのだから、盛り上がらないわけがないんで

訳注3——モントルイユ
パリ郊外の東側（セーヌ＝サン＝ドニ県）にある街。二十世紀になるとアフリカ、特にマリ共和国から移民が流入するようになった。蚤の市でも有名。

訳注4——グザヴィエ・ドゥ・カステラ
高田賢三の公私にわたるパートナーだった建築家。貴族の末裔、ジャックの親友で、賢三との仲を取り持ったのはジャックだった。一九九〇年にエイズで死去した。

す。参加していたのは、過激で面白くて、しかもエレガントな人たちばかりでした[8]」「もちろん、全身ブラックでコーディネートしました。モスリンのスカーフとか、ちょっとセクシーなライクラジャージーのワンピースを引っ張り出してきたり、レザーのキャスケットをかぶったりして[9]」このイベントはジャックがカールを楽しませるために企画したものだったが、出資したのはカールだった。大階段を下りるとコンクリート打ちっぱなしのスペースがあり、大勢の人がひしめいている。それまでのパリでは見たことのない光景だった。しかも、パーティーはまだ始まったばかりだ。「数千人がみんな黒い服を着て、異様なメイクや奇妙なコスプレをしている様子を想像してみてください。ＳＭプレイ用のグッズ、ラテックスのボディスーツ、仮面や覆面、鞭などと相まって、性的なムードと息苦しいほどの緊張感が立ち込めていました[10]」と、クリスチャン・デュメ＝ルヴォウスキは話す。ヴァンサン・ダレもこのイベントに参加していた。「ドラキュラの格好をしたり、黒いレースやレザーで全身を覆ったり、ナチスの軍服を着ている人もいました。パンクな時代だったので、誰もおかしいなんて思わなかったんです。（中略）道徳的な時代ではなかったですし、ポリティカル・コレクトネスの概念などありませんでしたからね[11]」ル・パラスの黒服で、のちに歌手になり「パンクの女王」と呼ばれたエドヴィージュ・ベルモアは、仮面舞踏会でつけるようなメッシュのアイマスクをつけていた。主催者のジャックは、フェンシングの白いコスチュームを着ている。黒一色のなか、ひとり白を着ることで、無垢さを表現したつもりだろうか。はだけた胸元から、下に着た黒いＴシャツが覗く。髪は短く、横分けにしていた。ひげを薄く生やした口元に酒瓶を運び、ラッパ飲みする。少し遅れて、ようやく主賓のカールが到着した。その姿は、背徳的な天使のようだった。高めのスタンドカラーが印象的な黒のロングシャツに、幅の広い折り返しのついたキャバリエブーツ。黒いサングラスをして、長い髪を下ろしている。まもなくパーティーは、狂宴へと姿を変えようとしていた。

青いレーザーの閃光が瞬いてうごめく人々を照らし、写真のように瞬間を切り取る。主催者の二人がフェンシングの真似事をする横で、ある有名ジャーナリストがチュチュを着てバレエ作品『瀕死の白鳥』を踊る。ヴァンサン・ダレは、ある瞬間を境に、場の雰囲気が変わるのを感じたという。「真夜中を過ぎて一時になった頃、ピンボールのゲーム台の上で、男たちがいかがわしいことを始めたんです。（中略）そろそろ引き上げる時間だな、と思いました[12]」小さなステージで繰り広げられるハードなＳＭショーを、人々は息を詰め、好奇の目で見つめていた。

高田賢三は、居心地の悪いパーティーだったと話している。「お酒と会話を楽しむような、陽気なパーティーではありませんでした。かなりハードなことが行われていましたからね。レザーとか黒で統一するというテーマも好きではないし、まったく楽しめませんでした。すぐ帰りましたよ[13]」トップレスどころか、服を脱ぎ出す者もいた。音楽にのって腰をくねらせ、抱き合い、まさぐり合う。ドラッグ、セックス、アルコールは、快楽や美を手にするための不埒な前戯だった。「ジャックは社会の暗部に魅了されていました[14]」と、クリスチャン・デュメ＝ルヴォウスキは言う。イベントに参加した人の多くが、この夜のジャックはいつもと違うと感じていた。普段はダンディズムの極みを地で行くジャック・ドゥ・バシェールだが、この日はその対極にある、退廃や堕天使を象徴するかのようだった。そして自分がそのように見られていることは、ジャックの心をくすぐった。

カールもそろそろ、このカオスを抜け出すことにした。いつものように、口にしたのはコカ・コーラ数杯だけだ。大きな階段を上がってフロアを振り返ると、四千人にまで膨れ上がった夥しい数の人々が、パーティーという餌に群がり、ジャックが決めたリズムに乗せられて、まるで何かに取り憑かれたかのように激しく入り乱れる様子が見えた。時代に消費されつつある人々。これほど多くの人がいても、カールと接点があるのはほんのひと握りの人々で、しかもほんの一瞬、すれ違う程度の関係でしかなかった。

　クラブを一歩出た瞬間に、淫蕩の限りを尽くしたこの世界ははるか遠くのものとなる。カールは、昇華されたイメージだけを持ち帰る。次のコレクションのヒントになるかもしれない、などと考えながら。自宅に着いて、数本のソーセージにマスタードをつけて食べたあと、この日は特別に、ベリエール城でつくられた白ワインをグラスに注ぎ、唇を湿らせた。それから、デザイン画を描き始める。

　夜が明ける頃、ふらふらになったファッショニスタの集団が、穴ぐらから続々と這い出してくる。「一様に奇抜な格好をして、メイクもすっかり崩れてしまった奇妙な集団を見て、近隣の人たちはさぞ驚いたでしょうね[15]」とフレデリック・ロルカは笑う。数時間後には、この狂乱の宴はメディアでも取り上げられた。「カールはこの顛末を楽しんでいましたね。なにしろ、このパーティーはスキャンダラスなイベントとして話題となり、カールとジャックは不気味で謎めいたカップルとして神格化されたわけですから[16]」ヴァンサン・ダレはそう分析する。パーティー自体は決して健全なものではなかったが、このイベントを共有したことでカールとジャックの絆はいっそう深まり、二人の関係は安定を取り戻した。また、カールには新たに、「一九七〇年代とファッション界を代表するパリの夜王」という称号も与えられた。カールの謎はますます深まり、一方で、その影響力はいっそう強まっていった。

　がらんとしたアパルトマンに戻ったジャックは、ジョリス＝カルル・ユイスマンスが書いた、こんな一節を思い出していた。「また彼は、白ビロオドの上着に金の刺繍のある胴着《ジレ》をつけ、シャツの襟刳の切れ込みのところに、ネクタイの代りにパルムの花束をさし、文学者連中を派手な晩餐会に招いたりして、大いに変奇漢の盛名を博したのであるが、なかでも秀逸は、凶事を徹底的に茶化すために、十八世紀の習慣を復活させて、喪の宴と呼ばれる宴会を開いたことであった[17]」

22 落日

一九七八年九月。カールは友人たちとのなにげない会話の途中でふいに、母エリザベートが数日前、グラン・シャンの城で亡くなったことを告げた。母親の死について、カールが踏み込んだ話をすることはなかった。「母は八十三歳で亡くなった。まだ元気だったのに、自分のせいで寿命を縮めたんだ。もっと歩きなさいと医者に言われていたのに、歩かなかった。そのせいだよ［1］」カールはのちにそう説明した。それ以上話すことはないと、一線を引くような口調だった。カールは、母親の死にも立ち会わなかった。パトリック・ウルカードは言う。「カールはその時、ブルターニュではなくパリにいました。お母様は突然亡くなったそうです［2］」立つ鳥、跡を濁さず。それがラガーフェルド家の流儀だった。だからカールは、城には戻らなかった。知らせを聞いて駆けつけたりもしなかった。父親が亡くなったとき、母親はカールにすぐには知らせなかったし、彼女自身も、息子に死に顔を見せることを望んでいなかった。大切な最後のページを丁寧にめくるのではなく、破り捨てる。それがラガーフェルド家のやり方なのだ。「カールは、過去をなかったことにして、すぐに気持ちを切り替えられる人でした［3］」とエルベ・レジェは言う。カールは予定を変更することなく仕事を続け、悲しみに暮れる様子も見せなかった。

しかしだからといって、辛くなかったはずがない。パトリック・ウルカードはこう話す。「母親の死は相当なショックだったはずです。自分が前に進めるようずっとサポートしてくれた、とても大切な人が亡くなったのですから。それでもカールは毅然としていて、弱気になるようなことはありませんでした[4]」エリザベートの死によって、カールの人生はがらりと変わった。カールはこれまで、母親からの辛辣な言葉に耐え、母親の理想に合わせ、母親を喜ばせるためなら何でもしてきたからだ。

城の門は閉ざされた。庭園の木々を風が揺らす。鏡のように静まり返った池。枝の伸び切った植え込みの迷路。弱々しい日差しが、灰色のファサードをほのかに照らす。デザイン画が床に散らばるひとけのない室内は、美しい廃墟のようだった。飾られた写真さえ、取り残された思い出のようだ。エリザベートは、彼女の部屋からそう遠くない場所に眠ることになる。カールはパリで、城の庭園に散骨すると話していた。エリザベートはそのときを待っている。動かなくなった時の狭間で。

一方で、日々は何事もなかったかのように過ぎていく。グラン・シャンの城は精彩を失っていった。カールはまた別の場所に、新たな美を求めた。次のプロジェクトは、パリに借りた巨大な邸宅だった。以前住んでいたユニヴェルシテ通りのアパルトマンの、数軒となりにある建物だ。『ラシュランス』と呼ばれた建築家ピエール・カイユトが十八世紀初めに建てた、オテル・ドゥ・ソワイユクールという名の建物です。十九世紀になると、この建物はコルシカ出身のポッゾ・ディ・ボルゴ公爵の手に渡りました。グラン・シャンの城より広くて豪華なお屋敷です。自分の好みに合う、ちょうど良い広さの住居をパリ市内で見つけることができて、カールは喜んでいたと思いますよ[5]」美術史家のベルトラン・デュ・ヴィニョはそう説明する。

建物の次は、インテリアだ。アールデコのコレクションを手放したカールは、新たな道楽にのめり込んだ。美しくディスプレイできる場所も見つかったことだし、心置きなく収集できる。ベルトラン・デュ・ヴィニョによれば、カールはまたアンティークギャラリーに通い詰め、家具やブロンズ像、タペストリーといった「見事な作品を、買い物依存症のように買い漁った」という。カールは「十八世紀を代表する有名な作品も購入していました。そのひとつに、旧約聖書の歴史物語『エステル記』を描いた有名なタペストリーがあります。これはもともと、ラ・ロシュ・ギュイヨン城[訳注1]に飾られていたコレクションのひとつでした。また、黄金色のブロンズ像や磁器などの装飾品、一流の家具職人が制作した椅子、さまざまな絵画のほか、フィリップ・ド・シャンパーニュやイアサント・リゴー、フラゴナールなど、十七世紀と十九世紀の有名画家の作品も手に入れていましたね[6]」この時代を専門とする美術史家ダニエル・アルクッフは、こう説明する。「彼は特に、指物師がつくった家具や、金張りの木製家具が好きでした。十八世紀の椅子は一番座り心地が良くて、人間の身体に最も適していると話していましたね。彫刻作品かと思うような、素晴らしい椅子をお持ちでしたよ[7]」

カールは、美しいものをただ集めていたわけではなかった。ベルトラン・デュ・ヴィニョはこう証言している。「カールはこの時代の洗練というものについて、完璧に理解していました。装飾品には冬用と夏用があることや、日常生活で使用する家具と装飾用の家具の違い、蝋燭の明かりを反射させて金箔やクリスタルガラスの品質を見極める手法があることなど、きちんとした知識を持っていたのです[8]」カールは十八世紀のインテリアに囲まれて食事をし、働き、眠っていた。そのため、カールの家には電気が通っておらず、蝋燭の明かりで暮らしているなどという噂まで流れていた。ただ、それもまったくの嘘ではなく、現にカールの家には一室だけ、

訳注1――ラ・ロシュ・ギュイヨン城
パリの北西、イル・ド・フランス地方のラ・ロシュ・ギュイヨン村にある城。この村は「フランスの最も美しい村」に登録されており、自然豊かで落ち着きのある風景を楽しむことができる。画家クロード・モネの睡蓮の池があるジヴェルニー村の近くにあり、パリからは車で一時間ほど。城内には絵画や家具が展示されており、当時の貴族の生活を垣間見ることができる。啓蒙時代に造られた幾何学的なデザインの庭園と菜園も有名。

そんな部屋があったという。「カールの寝室を見たときは驚きましたよ」とヴァンサン・ダレは言う。「ものすごく小さな天蓋付きベッドが置いてあるんですが、どうやって寝るんだろうと不思議に思うくらい小さいんです。横になって丸まって眠るので、広いベッドは必要ないと言っていましたけどね[9]」そのベッドは「説教壇ベッド」[訳注2]と呼ばれるもので、木枠には美しい彫刻が施され、黄色のシルク地に銀糸の刺繍を施したリヨン産の絹織物があしらわれていた。

　インテリアの変化に伴い、カールはまた外見を変え、新たなスタイルを確立した。ディテールにこだわるところは相変わらずだ。グラン・シャンの城で、カールはふと思い立って髭を剃った。これで、ワイマール共和国を思わせる厳めしさは消えた。それから、メンツェルの絵に出てくるウィッグを真似て長い髪をうしろでまとめ、ヒカゲノカズラ[訳注3]の粉末をはたいた。さらに、新しいスタイルにぴったりだったので、お気に入りの扇子をまた持ち歩くことにした。「カールは、コーディネートのアクセントとしてさまざまなデザインの扇子を取り入れていました。それが、カールらしい洗練を演出するトレードマークになったのです」パトリック・ウルカードはそう説明する。「カールは器用に扇子を操って、ポーズをとったり顔を隠したりしていました[10]」彼にとっては、仕草もスタイルの一部なのだ。カールは、扇子を持っているのはタバコの煙を払うためだと言っていた。しかし本当のところは、さまざまな視線や世間から、自分を守るためでもあった。

訳注2——説教壇ベッド
説教壇とは、キリスト教の聖堂に設けられた、礼拝の際に説教を行う場所のこと。この台に似ていることからこう呼ばれるようになった。

訳注3——ヒカゲノカズラ
山野に自生する多年草。シダ植物だがコケに似ている。胞子はさらさらした微細な粉末で、石松子と呼ばれる。防湿性に優れ皮脂吸収力が高いことから、皮膚病の薬や、ボディパウダーやスクラブといった化粧品にも使用されている。

23 ココ・シャネルの遺産

「ル・パラス」は、フォーブール・モンマルトル通りの劇場跡にファブリス・エメールがオープンした、伝説のナイトクラブだ。一九七八年のオープンから四年が経つ頃には、すでに夜遊びの聖地となっていた。トランスジェンダーのジェニー・ベレールはこのクラブの入り口に立ち、黒服として入店チェックを行っていた。「偉そうにしてるやつは入店お断り。世間知らずの悪ガキもダメ。ノリが悪い人も、お断り。だけど、何もかもまとめて楽しんでやろう、という心意気さえあれば、スニーカーを履いていたって入れてもらえるのよ。要は、スマートでなくちゃダメだってこと[1]」ディスコミュージックが流れるなか、バーではジャックが男たちを口説いていた。ディアンヌ・ドゥ・ボヴォ＝クラオンは、当時のことをこう振り返る。「ル・パラスは最高でした。みんなお酒やドラッグやセックスに溺れていたけど、人を傷つけたりすることはなかった。自分以外はね[2]」カールは扇子を片手に顔を出すだけで、長居はしなかった。「彼には、毎晩朝方まで遊んで、その様子をつぶさに報告してくれるジャック・ドゥ・バシェールという『密使』がいました。他の同世代のデザイナーも同じで、たとえばケンゾーにはグザヴィエ・ドゥ・カステラ、イヴ・サンローランにはルル・ドゥ・ラ・ファレーズ[訳注1]やジョエル・ル・ボンがいた。

（中略）夜の世界を知り尽くした彼らは、そこに集まる人たちのファッションや行動の変化を見逃さず、細かく報告する。カールをはじめ、イヴやケンゾーも、そうやって最新トレンドを把握していたのです［3］」パキータ・パカン［訳注2］はそう説明する。店でカールを見かけることは珍しかったが、皆の記憶に残るようなパーティーを主催したのは彼だった。たとえば、ヴェネツィアのカーニバルをヒントにジャックが考えた仮装舞踏会。クリスチャン・デュメ＝ルヴォウスキは、懐かしそうにこう話す。「『ヴェネツィアから神の国へ』と題したあのパーティーは、忘れられませんね。光沢のある黒い厚紙を使った招待状はアイマスクになっていて、シルクの紐がついていました。カールは、帽子をかぶったカサノヴァ風の格好。ジャックは大きなリアルト橋の模型を頭に乗せていて、動くたびにぶつかるので皆に迷惑がられていましたよ［4］」ジェニー・ベレールは、上半身裸の消防隊員たちが担ぐヴェネツィアン・ゴンドラに乗って登場した。死刑執行人の仮装で参加したというヴァンサン・ダレは、その時の様子をこう語る。「デザイナーのクリスチャン・ルブタンと一緒に、劇場から衣装箱を丸ごと一つ失敬してきて、みんなでわいわい言いながら好きな衣装を選びました。カールが主催したパーティーは間違いなく盛り上がる。そんな定評がありましたから、準備にも気合いが入るんです［5］」

　カールもパーティーを楽しんだ。いつものように、一瞬たりとも理性を失うことなく、時代の空気感をひたすら観察する。クロード・モンタナ、ティエリー・ミュグレー、ジャン＝ポール・ゴルチエといった新進デザイナーは、

訳注1――ルル・ドゥ・ラ・ファレーズ
ロンドン生まれ。ファッションライターやモデルとして活動していたが、一九六八年にイヴ・サンローランと出会い、イヴのミューズとして有名になる。ジュエリーデザイナーとしても活躍した。フランスの貴族出身のアラン・ド・ラ・ファレーズ伯爵とパリでモデルをしていた英国出身のマキシム・バーリーを両親に持ち、美しく自由奔放であったことから「上流社会のボヘミアン」と称された。

訳注2――パキータ・パカン
フランスのファッションジャーナリスト、作家、女優。一九七〇年代はモントルイユのナイトクラブ「ラ・マン・ブルー」などで黒服を務め、「ル・パラス」ではトランスジェンダーのジェニー・ベレールと一緒に、黒服＆ホステスとして働いていた。「ル・パラス」の常連だったジャン＝ポール・ゴルチエのショーに出演したこともある。一九八三年にファッションジャーナリストに転身し、一九九〇年代には仏『ヴォーグ』誌のジャーナリストとして活躍。九〇年代半ば頃から仏ファッション誌『デペッシュ・モード』の編集長を務め、『ジャルーズ』『ロフィシェル』といったファッション誌とも協業した。

若者たちにどんな影響を与えているのか。一歩下がってそんなことを観察しながら、カールは、何かが変わりつつあると感じていた。その夜ジェニーは、黒いサングラスの向こうに、カールの鋭い観察眼を見たという。「カールの眼は、多種多様な人々を一つのまとまりとして捉えていました。ぶつかり合う色、個性豊かな衣装。靴からヘアスタイル、メイクまで、目の前にちりばめられた奇抜な『個』。カールの頭の中ではそれらが混じり合い、溶け合って、錬金術のように昇華されていたのでしょう[6]」

「えっ！　シャネル？」カールのアシスタントだったエルベ・レジェにとって、それは寝耳に水の知らせだった。ラグジュアリーメゾン「シャネル」を引き継ぐことにしたと、カールに突然告げられたのだ。エルベはこう説明する。「当時のシャネルは往年の輝きを失い、人気も低迷していました。マドモワゼル・シャネルが亡くなってから十年以上が経っていましたし、今さら手の施しようなどないと思っていました[7]」そう考えていたのは彼だけではなかった。業界中を探しても、シャネル再興という賭けに手を出そうとする者はいなかったのだ。しかも、後継者がいるとすればそれはイヴ・サンローランだろうと、誰もが思っていた。ココ・シャネルは、亡くなる少し前に出演したテレビ番組のインタビューで、こうほのめかしていたからだ。「シャネルをコピーすればするほど、彼（サンローラン）は成功するでしょうね。私もいつかは後任を見つけなくてはいけないけど、そうね……真似をしてくれる人がいいかしら……。根底に愛がなければ、真似ってできないものよ[8]」

ただ実際は、後継者を見つけるよりも、自ら生まれ変わりたいという思いのほうが強かったようだ。「（中略）私は死んでも往生際が悪いと思うの。お墓に入れられても、なんとかしてこの世に舞い戻って、人生をやり直そうとするでしょうね[9]」再び表舞台に立つために彼女が選んだのは、カールの身体だったのだろうか。

イヴは、個人としての名声を過剰に気にする人だった。しかしシャネルのオーナーであるヴェルテメール兄弟が探していたのは、ココ・シャネルの系譜を継ぐことのできるデザイナーだった。一九八〇年代初め、カールはクロエやフェンディをはじめ、世界のさまざまなブランドを手掛けて成功し、輝きを放っていた。また、猛烈に働くことでも知られていた。わずかな時間しか眠らず、朝は五時に起きて、デザイン画を描き続ける。飛行機に乗ってミラノに降り立ったかと思えば、数時間後には次の場所へと飛び立つ。あちこちを駆け巡りながら、さまざまなコレクションを確認しては指示を出し、一方で、まったく新しいデザインを生み出し続ける。エルベ・レジェはこう話す。「ある日、ラビオリを食べていたカールが、ピンキングばさみと毛皮の端切れを持ってこいと言ったんです。はさみを手にしたカールは毛皮をチョキチョキと切って、ラビオリのように四角くカットしました。そしてそれをたくさん縫い付けて、毛皮のラビオリを一面にあしらったコートをつくってしまった。ふとした思いつきから誕生したものなのに、それがまた素敵なんです。カールの手にかかると、すべてがそんな感じでした[10]」カールはいくつもの高級ブランドの「雇われデザイナー」として、さまざまなメゾンを渡り歩きながら、それぞれの個性を損なうことなく、混同することもなく、次から次へと作品をつくることができた。カールは、絶えずアイデアを生み出すそのクリエイティビティだけでなく、自身が手掛けるブランドを自分の利益のために利用したりしないという点でも評価されていた。それぞれのメゾンの歴史やアイデンティティ、伝統を尊重しながら、現代的な瑞々しさを蘇らせる。それがカールの仕事だった。

カールはココ・シャネルに会ったことはなかったが、彼女が最後の日々を過ごしたリッツ パリをよく訪れ、そこに漂う彼女の魂を感じていた。ココの人柄や作品に惹かれ、心服しているのだろう――その頃はまだ、パリのセレブたちも、そう微笑ましく思っていた。ヴィクトワール・ドゥトルロウも、友人カールの才能をいつも絶賛していた。「ジャック・ヴェルテメールとは知り合いで、カールについてどう思うか聞かれたから『逸材です』と太鼓判を押しておいたわ。一歩引くことを知っているし、テーブルでも椅子でも、どんなものもデザインすることができる。そんな完璧な彼が、シャネルをデザインできないわけがないでしょう？[11]」カールは、シャネルのオーナーであるヴェルテメール一族が探していた人材そのものだった。カールに声をかけたとき、ヴェルテメール一族はシャネルの売却も考えており、もはや失うものはないという状況だった。そのため、もしデザイナーになってくれるなら何でも自由にしていいと、カールに約束した。彼は二つ返事で引き受け、すぐに一九八三年春夏コレクションのデザインに取り組むことにした。

仕事に取り掛かる前に、まずは相手を知る。シャネルでも、カールのやり方は変わらなかった。「メゾンに関する膨大な知識を吸収し、ファッション界におけるマドモワゼル・シャネルの重要性を理解した上で、現代的な輝きを与え、ブランドを再び前進させる。新たな顧客を獲得するとともに、すでにシャネルを知っている人たちにも改めて認めてもらう必要がありました[12]」とエルベ・レジェは説明する。シャネルの伝説についてカールはすでに詳しかったが、さらに掘り下げ、そのルーツを探りたいと考えた。問題は、過去の資料が残されていないことだった。エルベ・レジェはこう話す。「カールは自ら蚤の市に行ったり人に探させたりして、昔の雑誌を買い集めました。古い新聞や雑誌を数冊ずつ、山のように集めたのです[13]」「気になるものを見つけるとページごと切り取って、スクラップブックにまとめていました。着想を得るためのデータベースですね。カール自身が検索エンジンだったんです。今でいうGoogleのようなものですよ[14]」

書籍もたくさん集めた。カールは目を通し、ヒントを探り、切り抜き、分類し、整理し、じっと眺めては、ひたすらシャネルのことを考えた。夜になると、ル・パラスに出かける。今度は人間という生身の情報を、丹念にチェックするために。その頃、人生を謳歌する女性たちの間では、蚤の市で買ったヴィンテージのジャケットをジーンズに合わせるのが流行っていた。果てしなく続く賑やかな夜を後にして、カールは家に帰り、仕事を続ける。

眠りにつけば、夢の中にココ・シャネルが現れた。ココはカールに話しかけ、シルエットや素材のヒントを与える。「夢の中で見たことは、必ずうまくいく。私の人生にはそういう法則があるんだ。だから枕元にはいつも、スケッチブックを置くようにしている[15]」夢で見たイメージに、ル・パラスで見た光景や、雑誌や本で見つけた情報を織り交ぜながら、カールは緻密なイラストを描いていく。デザイン画がデスクに積み重なり、カールが手掛ける初コレクションの全体像が見えてきた。カールが最初に発表するのは、当時シャネルでは「ブティックコレクション」と呼んでいた、いわゆるプレタポルテのコレクションだった。この十年間、誰も成し遂げることができなかったシャネルの再興を、カールは実現できるだろうか。彼は、シャネルにふさわしい後継者なのだろうか。その役割を見事に演じることができるのだろうか。

カールは当時、クロエと契約中だったため、シャネルの仕事を公にすることはできなかった。そのため、準備は秘密裏に進められた。アシスタントのエルベ・レジェを呼び、シャネルのために描いた最初のデザイン画を数枚手渡す。A4サイズの紙に描かれたデザイン画には、「Chanel」の文字。フェルトペンで描かれた黒い輪郭と鮮やかな色使いが、ぱっと目に飛び込んでくる。「それを見て、『すごい！　これは面白くなるぞ！』と思いました。当時のシャネルのスーツはかなり正統派のブルジョワ風でしたが、カールはまったく違うものをデザインしていたからです[16]」それからエルベは、カールの使者となった。「夜になるとカールの家に行ってデザイン画を受け取り、シャネルに届けるんです。アトリエではプロトタイプをつくらせます。少しですが、デザインをさせてもらうこともありました。そして写真を撮り、持ち帰って、アトリエでの作業内容をカールに報告します。この頃はまだ肩パッド入りのジャケットというのはなかったのですが、カールのアイデアで、肩パッドを入れることになりました。スカート丈を短くして、ハイヒールの高さは九センチにしました。当時はヒール九センチというと相当な高さだったんです。今では低いほうですけどね[17]」「ジュエリーをたっぷり重ね付けした、色気のある女性。カールは、それまでのシャネルにはなかった、まったく新しいスタイルを打ち出しました[18]」

イメージは、ロック、パンク、ナイトライフ。ひっそりと準備を進めながら、カールはココ・シャネルが築いたものを打ち砕こうとしていた。だからこそ、自分のイメージ通りに進んでいるか、その目で確かめたいという思いを抑えることができなかった。

そこで時折、夜になると、カールは人目を避けるようにカンボン通りの端っこを歩き、ひっそりと静まり返ったシャネルのアトリエへと足を運んだ。ココ・シャネルも、カールの身体を借りて「メゾン（家）」に帰る。ショーの間、ココはいつも螺旋階段の上の方に座り、人目につかない場所からモデルたちを眺めていた。螺旋階段の壁には細い縦長の鏡が無数に貼られており、彼女の姿が万華鏡のように反射する。ショーが終わるとその階段をさらに上り、静寂に包まれたアパルトマンへと戻る。中国の漆器や書棚、ベージュのソファが置かれた、プライベートな空間だ。そして窓辺に行き、カンボン通りを見下ろすのだった。

カールにもやがて、そんなココの一日をなぞり、最上階のアパルトマンで物思いに耽る日が来るかもしれない。しかしカールにはまだ、乗り越えなければならない大きな仕事が残っていた。

秘密裏に進められていたものの、シャネルの次シーズンのコレクションを手掛けるのがカール・ラガーフェルドだということは、業界ではすでに知れ渡っていた。そして誰もが、彼がしくじるだろうと思っていた。ファッションジャーナリストのジャニー・サメをはじめ、多くの人が、一介のドイツ人デザイナーであるカールが、シャネルという伝説のフレンチメゾンを立て直せるとは思っていなかったのだ。「カールがシャネルを引き継ぐと知っても、みな静観していました。そもそも、おかしな人選でしたからね[19]」「みんな、カールがシャネルのイメージをぶち壊すに違いないと思っていたんです[20]」

一九八二年十月十八日、ルーヴル美術館のクール・カレ（方形の中庭）に設営されたテントの下では、ジャーナリストやファッション関係者たちが首を長くして待機していた。さて、カールは一体どんなものを見せてくれるのか。ようやくショーが始まると、ミニスカートをはいた斬新なヘアスタイルのモデルたちが登場し、百二十二点の作品が披露された。まだ公に姿を現すわけにはいかなかったので、カールは身を隠し、人々の反応をうかがった。

エルベ・レジェはこう振り返る。「このファーストコレクションの評判は散々なものでした。『こんなものが並ぶなら、もうシャネルの店には行かない』と大不評でしたね。人々が期待していたのは正統派のコレクションだったのに、カールはその伝統をぶち壊したわけですから[21]」コレクション発表の翌日、ヘラルド・トリビューン紙の記者ヒービー・ドーシーは、痛烈な批判記事を書いた。「ココ・シャネルはこの世にいなくて幸いだった。このコレクションは彼女の理解を超えていたに違いない[22]」ショーを見た女優のマリー＝ジョゼ・ナットはショックを受けて、「私がシャネルに求めているのはこんなものじゃない[23]」と言い放った。ココ・シャネルの死を嘆き、後継者を待ち望んでいたあるオブザーバーにとっては、まさにこの世の終わりだった。「フランスの象徴であるシャネルが台無しだ！[24]」米国の業界人たちはカールが打ち出した大胆なスタイルを称賛したが、ヨーロッパの人々は顔をしかめ、胸を痛め、ココの不在を嘆いた。

カール自身は、手応えを感じていた。「メゾンに注目を集めて復活させるには、スキャンダルが一番ですからね。カールは上機嫌でした[25]」とエルベは言う。シャネルの最新コレクションはメディアで報じられたが、カールの名は出なかった。「影の存在」となったことで、彼のオーラはよりいっそう濃くなった。

メディアからの批判が落ち着いた頃、今度はオートクチュールのコレクションが発表された。ショーは一九八三年一月二十五日の午後三時、カンボン通りのサロンで行われた。オートクチュールは、先に発表したプレタポルテよりもかなり落ち着いた正統派の雰囲気で、モダンな躍動感にあふれたコレクションだった。こちらは圧倒的な支持を集め、人々はあっという間に魅了された。「みんながシャネルを着たがりました。ほんの半年前には、世界中の誰もシャネルを着ようとしなかったのに[26]」ジャニー・サメはそう話す。このコレクションをもって、カールは正式にシャネルのアーティスティック・ディレクターに就任した。こうして始まったシャネルとカールの契約[訳注3]は、フェンディ同様、ファッション業界でも前例がないほど長い期間に及び、カールがこの世を去るまで続いたのだった。

カールがシャネルで初めて手掛けたコレクションは一九八二年に発表したプレタポルテ・コレクションなのだが、その後に発表したオートクチュール・コレクションが絶賛されたことで、その存在はすっかり忘れ去られてしまった。残念なことに、プレタポルテの初コレクションの写真や資料はほとんど残されていない。メゾン シャネルまでがその痕跡を消し去ろうとしたかのようだった。しかし、

訳注3——シャネル、フェンディとの契約
カールがフェンディと契約していた期間は一九六五〜二〇一九年。シャネルとの契約は一九八三年に始まり、同じく二〇一九年まで続いた。

カールがその後三十年以上にわたってつくり続けるシャネルのスタイルの原点は、まさにこのプレタポルテ・コレクションにあったのだ。時流を捉え、それをブランドのアイデンティティに大胆に取り入れていくカールの手法は、メゾンに売り上げの増加と成功をもたらし、その手腕を認めさせることとなった。彼は、事あるごとにこう言っていた。「『過去を生かして、より良い未来をつくれ』というゲーテの言葉がある。私はこの言葉を胸に、シャネルのスタイルを進化させようとしているんだ[27]」

時は一九八〇年代初頭。カールには、すでに明確なブランドビジョンがあった。そして次に必要なものは、それを体現してくれるミューズだった。

24 パリジェンヌ

ブラウンのショートヘア、上品なリップライン。イネス・ド・ラ・フレサンジュ[訳注1]は、軽やかな足どりでカンボン通りのシャネル本社に現れた。「マドモワゼル専用：関係者以外立ち入り禁止」のプレートが当時のままかけられたアトリエのドアを開けると、カールが待っている。「シャネルN°5」の巨大なボトル、手帳、緑の鉛筆が置かれた大きなデスクで、カールは窓を背にしてデザイン画を描いている。色付きのサングラス、ポニーテールにしたグレイヘア、ブルーのネクタイ。黒いジャケットのボタンホールには白い花。アシスタントが周囲を走り回っている。エルベ・レジェは苦笑しながらこう話す。「本当に、はた迷惑な人でしたよ。大量のデザイン画を渡されると、こちらは必死になって制作を進めます。でも、ようやく仮縫いができたと思ったら一息つく間もなく、もう次の新しいデザイン画が届くんです。デザインを描く手を止めずにアトリエ主任に指示を出したり、ジャーナリストの取材に答えたりと、マルチタスクをこなせる人でした。とても追いつけませんよ[1]」

訳注1——イネス・ド・ラ・フレサンジュ
フランスのモデル、デザイナー。父はフランス名門貴族のフレサンジュ侯爵、母はアルゼンチン系フランス人のファッションモデル。一九八三年より、シャネルを手掛けるカールのミューズとして活躍した。元祖スーパーモデルとも言われる。一九八九年に「マリアンヌ」のモデルに選ばれ、シャネルとの契約解除に至った後、一九九一年に自身の名を冠したファッションブランドを立ち上げると、フランス国内だけでなく日本や米国にも進出して成功を収めた。一九九九年、イネスは自身のブランドの経営陣によって不当解雇され、ブランドを離れる。近年は、ユニクロとのコラボレーション、ジャン＝ポール・ゴルチエなどのブランドコンサルタント、ファッション誌『マリ・クレール』のライターなど、多彩な活動を続けている。

若いイネスが腰をかがめ、カールの頬に挨拶のキスをする。

——ボンジュール、ミス・イネス。

カールはこの二十六歳のモデルに、ミューズ以上のものを見出していた。彼女は、カールが思い描く理想のパリ、理想の女性を体現していて、シャネルのイメージそのものだった。その体つきや身のこなし、精神には、完成された世界観があった。天性の洗練、エスプリに富んだおしゃべり、自由奔放な振る舞い。「イネスは、ショーに出る際にコルセット［訳注2］で体形を補正するのをやめた、初めてのモデルでした。ランウェイを歩きながら、着ているジャケットを脱いで客席に放り投げてみたりと、パフォーマンスも新鮮だった。彼女には、生きることを楽しむ才能があったのです［2］」とジャニー・サメは説明する。イネスには、メディアの取材時に繰り返し話すエピソードがあった。彼女の母親はガブリエル・シャネル［訳注3］にモデルにならないかと誘われたのだが、長かった髪を切ってほしいと言われたので断ったのだという。カールにとって、ミューズは彼女以外には考えられなかった。「イネスはシャネルの精神そのものなんだ（中略）。これ以上最適な女性はいなかったというか、探しもしなかったけどね。他に候補はいなかったし、選択肢もなかった［3］」

いつものように、カールは早口で話す。スタッカートのように短くはっきりとした発音で。イネスは、彼の視界に入らない部屋の隅でタバコを吸う。それから、カールと一緒にモデルの写真を見る。カールの口から、本音

訳注2——コルセット
女性のウエストを細く補正する下着のこと。十四世紀後半ごろから、上流階級の男性や女性がボディラインを整えるために使用していた。十六世紀には、木や象牙、鯨の髭、動物の角、銀などを使ったボーン（張り骨）で補強したボディス（胴着）が主流となった。フランス革命期のフランスではコルセットを外したファッションが流行したが、その後に王政が復活すると女性たちは再びコルセットをつけるようになる。X線が発見されてコルセットの健康への悪影響が指摘されたり、女性の社会進出が進んだことにより二十世紀に入ると、コルセットは徐々に姿を消していく。一九六〇～七〇年代には、コルセットで締め付けるのではなく、食生活や運動によってボディラインを整えようとする動きが出てくる。その後、ヴィヴィアン・ウエストウッドやジャン＝ポール・ゴルチエといったデザイナーがコレクションに取り入れたこともあり、コルセットは窮屈な補正下着というよりも、ファッションアイテム（ボディス）とみなされるようになった。ただ、ショーに出るモデルなどはその後も補正下着としてコルセットをつけていた。

訳注3——ガブリエル・シャネル
ココ・シャネルの本名。

が漏れる。「この子はスタイルはいいんだけど、足が気に入らないな」「問題外！[4]」「こういう、かわいらしくてアグレッシブな女性はいいね。面白いんじゃないかな[5]」

　そんな時間を過ごしたあと、カールとイネスは仕事に取り掛かる。カールは立ち上がり、ロール状に巻かれた生地が山積みになっている一角へと向かう。大きなピンクの生地を受け取り、折りたたみ、両手で胸を隠しただけのイネスの身体に巻きつけていく。誰に言うともなく、もっと淡い色のピンクはないかとつぶやく。誰かが薄めのピンクの生地を持ってくるが、今度は色が薄すぎる。もう少しオレンジ系の色味が強いほうがいいと言って、また生地を変える。再びドレープを寄せながら、イネスにまとわせ、考える。「うーん、くすんでしまうな……[6]」イネスがアイデアを出すこともある。アシスタントたちが見つめるなか、カールはしゃべりながら、イネスの周りを歩く。描き起こしたアイデアを、モデルの身体を使ってその場で立体化し、具体化していくのだ。イネス・ド・ラ・フレサンジュは、カールにとって欠かせない存在となっていた。「アイデアを明確にするために、イネスが着ている姿をイメージする必要があった[7]」のだ。

　イネスはメゾン シャネルと専属契約を交わした。モデルの専属契約は、業界でもこれが初めてのケースだった。カールは、新生シャネル、そしてフランス女性の象徴として、若いイネスをトップモデルへと育て上げた。ショーでは、イネスは出ずっぱりだった。「舞台袖に引っ込んだと思ったらもう次の出番、という感じ。二十着ほど着るので（中略）、着替えの時間は一分くらいしかないんです。私の役割は、モデルというより、シャネルがターゲットとする顧客の典型を演じることでした[8]」

　この実り多い関係は、六年が経った頃、突如として終わりを迎える。「イネスはカールの下で、たくさん苦労をしてきました。（中略）何をするというわけでもなく、ただただ長時間待機させられることも多かった。そのうちにイネスに恋人ができて、『君はいつも夜中の三時にならないと帰ってこない。もううんざりだ[9]』と言われてしまったんです」

ジャニー・サメはそう話す。理由は一つではなかった。契約解除の表向きの理由は、イネスが一九八九年にフランスを象徴する女性像「マリアンヌ」[訳注4]のモデルに選ばれたことを、カールが快く思わなかったためとされている。カールは、周りの人が自分から離れていくことに耐えられないたちだった。自分のミューズの彫像が「マリアンヌ」として全国の庁舎に置かれるなど、我慢ならなかったのだろう。辞退してほしいというカールの希望を聞き入れないイネスに対して、カールは容赦しなかった。「それなら君とはこれで終わりだ。歴史的記念物に着せる服をデザインするつもりはないからね[10]」

イネスも負けじと言い返す。「(マリアンヌがかぶっている)フリジア帽に、そのポニーテールは収まらないものね！[11]」女優アルレッティ[訳注5]を思わせる勝気な口調でカールに「離婚届」を突きつけ、契約は破棄された。「今後もファッションショーに出るなら出ればいい。私はもう彼女と仕事をする気はないけどね。もうインスピレーションを感じないから。ただそれだけだよ[12]」

これからもミューズは次々と入れ替わり、多くのモデルがカールのもとを去っていくだろう。そうなれば、また次を探せばいい。いずれにせよ、イネスと築いた一時代は終わったのだ。「今のイネスをつくったのは私なんだ。私に出会っていなければ、彼女は今もまだ、その他大勢のモデルの一人としてオーディションを受け続けていたはずだよ。彼女はとても美しいけど、写真映りが良くない。それに最

訳注4――マリアンヌ
フランス共和国を象徴する女性像のこと。マリアンヌがかぶっている「フリジア帽」は自由と共和制を表す。マリアンヌの肖像は、ユーロ硬貨や切手に描かれたり、政府広報などに使用するロゴマークとして使われるなど、フランスの象徴として国民に親しまれている。一九七〇年からは、各時代の「フランスの顔」とみなされる美しい女性著名人をモデルとして選び、その胸像が庁舎や学校などの公的施設に設置されるようになった。これまでに、イネス・ド・ラ・フレサンジュのほか、ブリジット・バルドー、カトリーヌ・ドヌーヴ、ソフィー・マルソーといった女優や歌手、モデルがマリアンヌのモデルに選ばれている。

訳注5――アルレッティ
フランス出身のモデル、女優、歌手。一九三八年の映画『北ホテル』、一九四五年の映画『天井桟敷の人々』などに出演し、その妖艶さと名演で評価された。

近は、もっとセクシーなモデルが求められている。彼女がいなくても、スタジオには個性的で美しい女の子がいくらでもいるから、何の問題もないね[13]」カールはここでも、過去を振り返ることなく歩みを進めた。

25
絵画の中で

ふっと、通りの喧騒が消える。ユニヴェルシテ通りの重厚な門をくぐった招待客たちは、息をのんだ。二百年の時が巻き戻る。足りないものは、当時の衣装と馬車くらいだろうか。ゆったりとした中庭、広大なエントランス、吹き抜け階段、連なる部屋の数々……。「本当に貴重な、素晴らしい建物でした。パリには多くの大邸宅があって、省庁が使用している建物もあります。まずまずのセンスでまとめられているもの、かなり大胆な内装にしたものなど、さまざまに改装された邸宅を見てきましたが、カールのお屋敷はまさに完璧。非の打ちどころがありませんでした。風格ある建築装飾、美しいオブジェや家具。それらが見事に融合していました[1]」ベルトラン・デュ・ヴィニョはそう絶賛する。

その日は、カールの自宅で夕食会が行われていた。華やかにセッティングされた大テーブルを囲んで、パリの上流社会の人々が一堂に会する。カールは、一九八〇年代半ばに流行っていたポップなデザインに囲まれるのではなく、別の時代にタイムスリップしたかのような、豪奢で風雅な食事会を催すのが好きだった。今夜のカールは、ミラノの老舗テーラー「カラチェニ」でジャックと一緒に仕立てたダークスーツに、ネクタイとストライプのシャツという出で立ちだ。

ディナーの前に、友人たちに本を配る。「カールはいつも、十八世紀という時代の素晴らしさを皆に伝えようとしていました。私も、英国の学芸員キャロリン・サージェントソンが書いた、マルシャン・メルシエと呼ばれるギルド（商工業者の職業別組合）に関する本、それと、女優で小説家だったマダム・リッコボーニの小説選集をいただいたことがあります[2]」と、美術史家ダニエル・アルクッフは話す。食卓は完璧にセッティングされていた。純白のナプキンやクリスタルのグラス、銀食器が並ぶ。テーブルの中央に置くセンターピース[訳注1]のデザインやブーケのアレンジメントは、カールが考えたものだ。カールの左隣の席には、親友のアンナ・ピアッジ。正面にはジャック・ドゥ・バシェール。そして三人を囲むように、編集者やジャーナリスト、フォトグラファーなど、業界のトレンドを動かすインフルエンサーが顔を揃える。カールは時折、テーブルに片肘をつき、親指をあごに当てたまま静止して、心ここにあらずといった面持ちになることがあった。「カールは、自分の世界に浸っていたのだと思います」ベルトラン・デュ・ヴィニョは分析する。「『私は今、十八世紀にいる。私を取り囲む人々は、この人生ゲームの登場人物だ。そして私は絵画の主人公なのだ』と。もしかしたら、メンツェルの絵に描かれたフリードリヒ二世になった気分だったのかもしれません[3]」

キャンドルのほのかな灯りが鏡に反射する。薄明かりのなか、選ばれし者たちの集いが始まる。開け放たれたドアの向こうは暗闇に包まれ、その奥の部屋に、件の絵画が飾られていた。床に置き、壁に立てかけられている。「カールが持っていたメンツェルの絵は複製画で、原画は行方不明になっています。カールにとってこの絵は『芸術作品』ではなく、インスピレーションを与えてくれる『聖像』であり、とても個人的なお守りのようなものでした。ですから常に、人目につかない場所に飾られていたので

訳注1――センターピース
テーブルコーディネートで、食卓の中央に置く、少し高さのある装飾品のこと。キャンドルや花が用いられることが多く、陶器やガラスの器、籐のバスケットなどにキャンドルと植物を盛り合わせて飾ったり、ブーケやフラワーアレンジメントを置いたりする。

す〔4〕」とパトリック・ウルカードは言う。この絵画は、カールが人生のインスピレーション源として大切にしてきたもの。その魅力が失われることはない。ただ、理想として追い求めてきたこの絵の世界を、カールの人生はすでに追い越してしまった。彼はもう、人生という絵画を自らの手で演出し、自分の望むとおりのシーンを描くことができるのだ。

たとえばカールは、啓蒙時代を彷彿とさせる厳かな会合を催すこともできた。一日の仕事を終えた後、カールは十八世紀に詳しい文化人を定期的に自宅に招き、会合を開く。フランス国内の建築遺産の修復に対する、資金援助を行うことにしたのだ。ベルトラン・デュ・ヴィニョもメンバーの一人だった。「カールによる寛大な支援と、ディアンヌの義母であるロール・ドゥ・ボヴォ＝クラオン〔訳注2〕のイニシアティブの下、民間所有の建造物の改修をサポートする賞を創設したのです。これは、建築、歴史、芸術、自然遺産の保全を目的とする団体『La Demeure Historique』の活動の一環として進められたものでした。カールの自宅で行われる会合では、どの建造物の改修を支援すべきかを話し合い、最もふさわしいと思われるものを投票で選出していました〔5〕」カーテンが閉ざされ、キャンドルが灯される。静寂のなか、候補となる建造物の資料が、参加者の手から手へと回されていく。そこにいるのは、戦争が激化するなか自室にこもり、王や王女のいる憧れの世界を夢想していた、あの少年カールだった。大きくなったカール少年は、共にゲームに参加してくれる登場人物たちに囲まれて、自らつくり上げた世界に君臨していた。ダニエル・アルクッフはこう振り返る。「まさにメンツェルの絵の世界でした。それがカールの望む『絵』だったのでしょう。登場人物の一人を演じることができたと思うと、光栄ですよ〔6〕」しかし、楽しいゲームは長くは続かない。カールはこの後、厳しい現実に見舞われていくのだった。

訳注2――ロール・ドゥ・ボヴォ＝クラオン
ディアンヌ・ドゥ・ボヴォ＝クラオンの義母。一九八二年までNGO「La Demeure Historique」の会長を務めたマルク・ドゥ・ボヴォ＝クラオンの妻。一九八〇年代初頭より美術品市場に携わり、一九九一年にサザビーズ・フランス会長に就任。フランスのアート産業の発展に尽力した。二〇一七年、七十四歳で死去。

26 ひとつの時代の終わり

黒服としてル・パラスのエントランスに立っていたジェニー・ベレールは、トレンドや空気感の変化には人一倍敏感だった。彼女は確かに、変容の予兆を感じていた。それまで夜な夜な遊び歩いていた人や、仕事帰りに、付近に停めた車の中で着替えてまでナイトクラブに繰り出していた人たちが、家にこもりがちになった。さっさと帰宅して早寝したり、テレビを見たり、他の場所で遊ぶようになったのだ。ル・パラス店内の地下には「プリヴィレージュ（特権、の意）」という新しいレストランができて、人々は二分された。業界や身分の違う人たちが交わることはなくなってしまった。一般の客は上の階、著名人は下の階に集まる。何かが消え失せ、断ち切られようとしていた。まるで美と狂乱が限界点に達し、ゆっくりと下降を始めたかのようだった。「クラブに来る人はぐっと減り、誰もが疲れ果てているように見えました。皆、不穏な空気を感じていましたね。あれは『死の予感』だったのかもしれません[1]」とジェニーは語る。

エイズという未知の病が最初に襲ったのは、ファッション業界や夜の世界の人々だった。はじめは誰も信じようとしなかったが、やがて認めざるを得ない状況となった。友人や知人、同僚など、身近な人が次々とエイズに冒されていく。アドレス帳の名前や誕生日を、二重線で消すことが増えていった。友人とは、遊びではなく誰かの葬式で顔を合わせることのほうが多くなった。多くの人と同じように、高田賢三の心も疲れ切っていた。「一九八六年、一九八七年あたりから、エイズで亡くなる方が出てきました。ひどい時代でしたよ。みんな恐怖に怯えていて。私も、友人の半分近くを亡くしました[2]」カールも多くの友人を失い、この病を恐れていた。不安に押し潰されないようにするためには、そんな状況から敢えて目を逸らすしかなかったのかもしれない。

カールはその日、モチーフ入りのベージュのネクタイとピンクのシャツを着ていた。ダブルのスーツにあしらったポケットチーフは、白い立襟とコーディネートされている。カールの髪の色はシルバーになっていた。海を一望するバルコニーの手すりに肘をつき、水平線を眺める。息をのむほどに美しい眺めだった。夏の早朝には、はるか遠くにぼんやりと、コルシカ島が見えることもある。右手には、「モナコ岩」とも呼ばれるモナコ＝ヴィル地区、ノートルダム・イマキュレ大聖堂、モナコ大公宮殿が見える。モナコ公国の居住権を取得すべきだというアルベール公の勧めに従い、カールは新築のタワーマンション「ル・ロカベラ」のペントハウスを手に入れた。フランソワ・ミッテランが大統領に就任した頃のことだった。パリではモールディング装飾や金箔張りといったクラシカルなインテリアに囲まれて暮らしているが、モナコの住まいは近代的にまとめることにした。グレーの壁の室内には、ミラノで結成されたばかりのデザイナー集団「メンフィス」[訳注1]が手掛けた、超モダンな家具を置いた。「この近代建築に合わせるインテリアはこれしかない、

訳注1——メンフィス
イタリアの建築家・インダストリアルデザイナー、エットレ・ソットサスを中心に、一九八一年に結成された前衛的なデザイン集団。一九八〇年代にデザイン界で起きた「ポストモダン」ムーブメントの代表的存在として、世界のデザインや建築に大きな影響を及ぼした。世界各国から集まったデザイナーや建築家からなる多国籍なチームで、磯崎新、倉俣史朗、梅田正徳といった日本人デザイナーも参加している。機能性や合理性を追求したモダニズムの「グッド・デザイン」とは異なる、カラフルな色彩と複雑な装飾を特徴とする斬新なデザインを目指し、クライアントから制約を受けることなく「つくりたいデザインをつくる」ことを試みた。一九八八年、創立者のソットサスが建築の仕事に集中するために離脱。メンフィスは解散し、活動には終止符が打たれたが、その後もブランドとして存続し、現在も当時のコレクションが販売されている。

と思った（中略）。ひと目で気に入ったよ。このアパルトマンにぴったりだし、陽気な感じが、海ともよく合う。メンフィスの家具にはそれぞれ、海の近くの場所にちなんだ名前がつけられているんだ。ネグレスコとかマイアミビーチとかね[3]」

カールは、周囲の環境にまでマッチするインテリアを見つけたのだった。リビングの中央には、ボクシングのリングに畳を敷き詰めた、個性的なデザインの家具が置かれている。原色を使った大胆な色使い、正方形と円のフォルムの組み合わせ。新しいインテリアには、「メンフィス」のアイデンティティがそこかしこに反映されていた。「カールは、ある様式の本質を的確に汲み取り、それを象徴的なイメージへと変換するのが得意でした。サン・シュルピス広場のアパルトマン、ユニヴェルシテ通りのオテル・ドゥ・ソワイユクール、そしてモンテカルロのアパルトマン・メンフィスと、それぞれまったく違うスタイルを、見事に取り入れていました[4]」パトリック・ウルカードはそう説明する。

テレビクルーが、カールの新しいプロジェクトを取材しにやってきた。今回の撮影現場は、モナコに隣接するフレンチ・リヴィエラの村の一つ、ロクブリュヌ＝カップ＝マルタン[訳注2]の海辺にそびえ立つ壮麗な別荘だ。広さ六百平方メートルの白亜の邸宅で、十九世紀末に英国人貴族が建てたものだという。カールはかなり前からこの建物に目をつけていて、そこに住むことは彼の夢だった。ついにその夢を叶え、なぜか長年空き家となっていたこの屋敷を手に入れたのだ。「この家はミステリーハウス（幽霊屋敷）として知られていた。でも、ここで過去に何があったのか、誰もはっきりとは知らない

訳注2――ロクブリュヌ＝カップ＝マルタン
モナコ公国の北東側に隣接する、南フランスの村。マルタン岬（カップ・マルタン）を見下ろす崖の上にあり、石畳の細い坂道が多いが、中世の面影を残す村からは見事な眺望を楽しむことができる。建築家ル・コルビュジエが妻イヴォンヌのために設計、建設した別荘「カップ・マルタンの休暇小屋」があることでも有名。彼が晩年を過ごしたこの建物はユネスコの世界遺産に登録されており、付近には、行きつけだったレストラン「Etoile de Mer（ヒトデ軒）」や、このレストランのオーナーのためにル・コルビュジエが設計した宿泊施設「ユニテ・ド・キャンピング」、アイルランドの建築家アイリーン・グレイが建てた別荘「E1027」などがある。ル・コルビュジエは一九六五年、ここロクブリュヌ＝カップ＝マルタンで海水浴中、心臓発作に見舞われ死去した。

らしい。要は、何もなかったということだよ[5]」と、カールは皮肉交じりに話す。しかし、そこには確かに亡霊が棲んでいた。たとえば、第一次世界大戦以前にこの邸宅に住んでいたデイジー・フォン・プレス。「エドワード朝時代に社交界の花形としてもてはやされた英国人女性で、ドイツ・プロイセンの富豪の王子と結婚したのだそうです。カールに教えてもらいました」とベルトラン・デュ・ヴィニョは言う。「カールにとって、彼女はベル・エポックのコート・ダジュールを生きた、究極のエレガンスの象徴でした。彼の家には、画家エルーが描いた彼女の肖像画も飾られていました[6]」邸宅には、デイジー・フォン・プレスの日記も遺されていたという。カールは他にも、作家でジャーナリストのデイジー・フェローズ、女性インテリアデザイナーの先駆けだったエルシー・デ・ウルフなど、ベル・エポックの社交界を代表するさまざまな女性に興味を抱いた。カールにとってはそういった女性たちも、インスピレーションを与えてくれるミューズだったのだ。エルシー・デ・ウルフについては、カールもお気に入りのこんなエピソードがある。ギリシャのアテネにある古代遺跡アクロポリスを目の前にして、エルシーは「あら、ベージュ。私の色だわ！」と叫んだのだという。

別荘の改装工事が始まった。パトリック・ウルカードは当時の様子をこう話す。「この家にはいくつか問題がありました。階段は、スペースにぴったり合うように何度も作り直す必要がありましたし、リビングは、あまりに広すぎて落ち着かないとカールが言うので、場を区切るために円柱を追加したりもしました。こうした構造上の問題はどれも解決が難しいものでしたが、カールは熱心に取り組んでいましたよ[7]」カールはいつものように、床に置かれたペンキ缶の間を縫いながら、あちこちを見て歩く。「こういう工事現場が大好きなんだ。完成した状態よりも、何かをつくっている過程のほうが楽しいからね。私にとって、つくることは手段じゃなくて目的。コレクションもそう。プレタポルテのコレクションと同じように、家のコレクションを手掛けているような感覚なんだ［8］」その頃のカールは特に、何かに没頭して、時の経つのを忘れていたかったのかもしれない。

　この大邸宅は「ラ・ヴィジー」と名付けられ、カールはここでも、これまでの家とはまったくスタイルの異なる新たな世界観を構築した。ベルトラン・デュ・ヴィニョはこう説明する。「カールは一九〇〇〜一九二〇年頃のコート・ダジュールの雰囲気を再現しようとしていました。彼が求めていたのは、水着や甘い香りの日焼け止めクリームに象徴される、夏のリゾート地としてのコート・ダジュールではなく、パナマ帽や上品なドレスに彩られていた冬の避寒地としてのコート・ダジュールでした［9］」黄昏時になると、上質なカーテンやテキスタイル、重厚な家具、繊細な木造装飾の影に、デイジー・フォン・プレスや華麗なるギャツビーの姿が蘇る。彼らが生きた古き良き時代を追い求めたこの屋敷には、もちろんジャックの部屋も用意されていた。彼の好きな、ネオゴシック様式の内装を施して。

　取材映像には、白いロールス・ロイスの後席に乗るカールが映っている。スモークレンズのサングラスの奥から、窓の外を流れるモナコの街並みを眺める。彼にとっては、ここも自分の庭のようなものなのだろう。代々モナコ公国を統治するグリマルディ家とも親交があり、モナコ公女のカロリーヌとは特に親しくしている。カールは、幼い頃からの夢だった「プリンセスの世界」にいた。パリへと向かう飛行機の中で、彼は青と黒の分厚いノートを取り出し、絵を描き始める。カールが「オプティカル・ジャーナル（視覚的な日記）」と呼んでいる、スクラップブックのようなものだ。たくさんの写真や名刺の切り抜きが貼られ、さまざまな色のペンで電話番号が書き留められている。「ここにすべて詰まっているんだ。家の改装工事の進捗とか、コレクションに関すること（中略）、備忘録として自分の車のナンバープレートの写真とか、そんなものがいろいろとね［10］」

カールは、さまざまなものを絶えず生み出し続ける一方で、あらゆるものをスクラップブックに留めて、なくならないようにしていた。何かを失ってしまうことを恐れて。

27 至上の愛

パリに着いたカールは、その足でカンボン通りのアトリエに向かう。いくつかの作品をチェックし、指示を出し終えたら、次はシャンゼリゼ通りへ。一九八四年に創業した自身のブランド「カール・ラガーフェルド」[訳注1]の本社へと足を運ぶ。カールは長年、自身の名を冠したブランドを立ち上げなかった。自らのアイデンティティを固定したくなかったのだ。シャンゼリゼ通りに着くと「カール・ラガーフェルド」のアトリエに入り、クロエ時代に出会って以来ずっとカールと一緒に働いている、お針子のアニタ・ブリエと顔を合わせる。彼女は、カールの細かい要望にも忠実に応えてくれる大切な片腕だ。カールはいくつもの世界を、いとも簡単に行き来する。一つの世界に入れば、他の世界のことは忘れてしまう。「おかしな話だけど、記憶喪失みたいな状態になるんだよ。シャネルのオフィスで『KL』ブランドのことを聞かれても、何も説明できない。反対に、KLにいるときにシャネル関連の質問をされても、やっぱり何も答えられないんだ[1]」

カールが、ブランド名として自分の名前を口にすることはない。「カー

訳注1——「カール・ラガーフェルド」
カールが一九八四年に立ち上げたファッションブランド。パリらしさ、ロック＆シック、テーラードのシルエットを融合した、先進的でコンテンポラリーなスタイルが特徴。ウィメンズ、メンズ、キッズのプレタポルテ、バッグやレザーグッズ、ウォッチ、アイウェア、シューズ、フレグランス、キャンドル、ファッションジュエリーを取り揃え、オンラインストア（旗艦店）をはじめ、世界九十六カ国に店舗を展開している（二〇二〇年十一月現在）。創業当時、本社はシャンゼリゼ通りにあったが、現在はパリ七区のサンギヨム通り二十一番地にある。

ル・ラガーフェルド」ブランドのことは、イニシャルで「ＫＬ」と呼んでいた。カールにとって、自分のクチュールメゾンを所有することはキャリアの最終目標ではない。自身の名を冠したブランドであっても、それは彼が仕事をするメゾンの一つに過ぎなかった。だからＫＬでも、やることはシャネルやフェンディと変わらない。こだわりの強さも同じだし、何人ものアシスタントが彼の周りを駆け回っている様子も同じだった。モデルが着ている白い服に、黒いフェルトペンで直に印をつける。「ここはまっすぐがいい。こんな風に角度をつけて。そのほうが仕立てやすいんじゃないかな〔2〕」カールに言われたアニタは「わかったわ、カール」と答え、その指示に従う。

カールはスタッフが皆帰ったあと、バルコニーからひと気のないシャンゼリゼ通りを見下ろし、一人の時間を過ごすことがあった。夜の静けさによって際立つ空白の時間を、しばし楽しんでいたのだろう。目の回るようなカールの人生に、また新たに、写真というライフワークが加わった。カールはシャネルのプレスキットを自分で作成し、広告キャンペーンを自ら演出する。自身が被写体としてカメラの前に立ち、遠隔操作でシャッターを切ることもある。セルフポートレートに写るカールは、いつも毅然としている。ジャックが被写体になることも多かった。それにしても、カールは一体何を思いながら、息つく暇もない日々をこなしていたのだろう。ファインダーを通して慌ただしく過ぎ去っていく瞬間を切り取り、かたちあるものとして留めようとしたのだろうか。それとも、目の前のタスクを極限まで増やし、それに専念することで、迫りくる悲劇をやり過ごそうとしたのだろうか。

カールのオフィスには、あちこちにジャックの写真が飾られている。その中に、友人であり、モナコでは隣人でもあるヘルムート・ニュートン［訳注2］が撮影した一枚があった。カールとジャックが明るい色合いのスーツを着て並び、カールは扇子を手にしている。写真の中のジャックは、はかなげに見える。他にも、こんな写真がある。リヴォリ通りの新しいアパルトマンのテラスで、ジャックがカメラ目線でポーズをとっている。ジャックの後ろにカールも写っているが、背を向けていて、ジャケット、サングラスの一部、ポニーテールしか見えない。

十六年前に出会って以来、二人の関係はずっと変わらなかった。カールは常にジャックを支えてきた。精神的にも、金銭的にも。不自由なく暮らせるようにサポートし、パーティー代を出し、社会的規範から逸脱した行動を許し、さまざまな気まぐれに応えてきた。ローマで行ったディアンヌ・ドゥ・ボヴォ＝クラオンとの婚約式もそうだ。ディアンヌはこう振り返る。「私とジャックが恋に落ちたとき、カールはそれを素敵なことだと言って祝福してくれました。彼は、嫉妬というものを軽蔑していたんです。大人になりきれないまま能大気にはしゃぐ若い二人をどう扱うべきか、彼はよくわかっていました。その頃の私たちは、羽目を外すことこそが人生で一番面白いと信じて疑わない、ただの子どもでした。この結婚の一件では、カールにひどいことをしてしまったと思います。でも、それに対するカールの対応は素晴らしくて、本当にスマートでした。すごい人です[3]」二人は誰もが夢見るような婚約披露パーティーをした後、サン・シュルピス広場のアパルトマンで一緒に暮らし始めた。しかし微笑ましいラブストーリーはすぐに終わりを迎え、二人は夢から醒めたのだった。「おままごとを終わらせるときが来たんです[4]」とディアンヌは言う。そろそろ大人にならなくてはならない。皆それぞれの、幸せのために。

ニューヨークから戻ったジャックは、リヴォリ通りにある、バルザック時代のアーケード街を物憂

訳注2――ヘルムート・ニュートン
ドイツ・ベルリン出身の写真家。父親はユダヤ人、母親はユダヤ系アメリカ人。一九三八年、ユダヤ人迫害のためドイツを離れ、シンガポールで一時写真家として働いた後、オーストラリアに移住。オーストラリア人女優ジューン・ブラウンと結婚後、フリーのファッションフォトグラファーとなり、『プレイボーイ』誌などの雑誌に作品を掲載するようになる。一九五六年にロンドン、一九六一年にパリに移住。『ヴォーグ』誌をはじめとする雑誌にエロティックで衝撃的な作品を次々と発表し、サディズム、マゾヒズム、フェティシズムを感じさせるセンセーショナルなスタイルを確立した。「二十世紀を最も騒がせた写真家」と呼ばれ、カトリーヌ・ドヌーヴ、シルヴィ・ヴァルタン、グレース・ジョーンズ、ケイト・モス、モニカ・ベルッチ、シンディ・クロフォード、クラウディア・シファーなど、多くの有名女優やモデルを撮影した。一九八一年より、モナコと米国ロサンゼルスを拠点として活動。二〇〇四年、ハリウッドで交通事故のため死去した。

げに歩いていた。今回は、カールの次のショーにぴったりの音楽をいくつか持ち帰ってきた。カールがジャックのために借りている、チュイルリー公園の北側にあるアパルトマンに帰る。玄関から続く長い廊下には、映画の美術スタッフに頼んでつくってもらった胸像が並んでいる。どれもジャックをモデルにしたものだ。鏡をのぞき込むと、そこには見覚えのない自分が映っていた。

それから、母親のアルメルに会うため、ナントの近くに一族が所有するベリエール城へと車を走らせる。トマ・ドゥ・バシェールにとって叔父のジャックはヒーローで、たまに会うのをとても楽しみにしていた。「ある日、他のいとこたちと城で退屈していたところに、ジャックがパリから電話をかけてきたことがありました。暇なんだと話したら、『そんなときはポーカーをすればいいのさ』と言うんです。私たちはまだ小さかったので、ポーカーのやり方なんか知らないよ、と答えました[5]。数時間後にまた電話が鳴り、トマが受話器を取ると、「二十分後に中庭に出て、空を見てごらん！」とジャックが言う。言われた時間に外に出ると、ナントでレンタルしたのだろう、第一次世界大戦時の複葉機が空を切り裂くような轟音をたてて飛んできて、トランプを撒き散らしながら、トマたち四人をめがけて急降下してきた。「城の裏側にある野原に着陸したジャックは、アントワーヌ・ド・サン＝テグジュペリ［訳注3］のような格好をしていました。革の帽子をかぶり、首には白いマフラーを巻いて、手にはポーカーチップの入ったアタッシェケースを持っていた。そして午後じゅうずっと、私たちにポーカーの遊び方を教えてくれたんです[6]」トマは、目を輝かせながらそう振り返る。

しかしこの日、ベリエール城に到着したジャックは、自分の部屋に直行

訳注3——アントワーヌ・ド・サン＝テグジュペリ
フランスの作家、操縦士。『星の王子さま』や『夜間飛行』など、世界的に有名な作品を世に送り出し、日本でも根強い人気を誇る。一九二一年に航空隊へ入隊し民間飛行資格を取得したが、二年後に飛行場での墜落事故に遭い、操縦士の仕事を退く。その後、一九二六年より執筆活動を開始。民間航空会社に入社し、定期郵便の仕事をする。その経験から『南方郵便機』や『夜間飛行』、『人間の土地』を執筆。一九三五年、三十五歳のときに機体トラブルで砂漠に不時着した経験をヒントに、『星の王子さま』を書いたと言われている。一九四四年、仏コルシカ島の基地からフランス内陸部上空への偵察飛行に出た際に消息を絶ち、翌年に死亡が認定された。

した。少し身体を休める必要があったのだ。トマはそのことを、少し前に知った。「ジャックは自分から病気のことを話してくれました。本当のことを隠さずに教えてくれて、感情的になることもありませんでした。自分がかかった病気がどういうものなのか、最終的にどんな結末が待っているのかを、淡々と説明してくれたのです[7]」ジャックはＨＩＶに感染していた。自身の人生をひとつの芸術作品として演じてきた彼は、この病すら定められた演目として受け入れた。何ひとつ後悔していないし、何かのせいにするつもりもなかった。「ジャックはすべてを受け入れ、不公平だと泣きわめいたりはしませんでした。私たちのことを精一杯気遣ってくれたのだと思います[8]」とトマは語る。ジャックは死を悟りながらも、最後までダンディを貫こうとした。トマは続ける。「ジャックはどんな時にも遊び心を忘れない人でした。遺言にさえ演出をつけた。私たちが見ている前でラジカセを使って遺言を録音していたのですが、ときどきブラックジョークを挟んで私たちを笑わせてくれました。この遺言が公開されたら皆がどんな反応をするか、そこまで考えていたんです[9]」

　ジャックは気丈に振る舞っていたが、ジャックの病を知ったカールは、ひどくうろたえた。病状が悪化すると、「カールはジャックに、体重を十キロ戻したらアストンマーティンを一台買ってあげると言ったそうです」とトマは言う。「とても叶いそうにない、非現実的な約束でしたが、あれは大切な人を失いたくないと思い詰めた一人の人間の、必死の提案だったのだと思います[10]」

　彼の人生で唯一、これだけは破り捨てずに守っていこうと決めていた、かけがえのない一ページが、まもなく消え去ろうとしている。そんな状況で、いったい他に何ができただろう。「何がなんでも、前に進み続けるしかなかったんです。ジャックに少しでも長く生きてもらうために……[11]」と、ディアンヌは言う。

リッツ パリでヴィクトワールと朝食をとったとき、カールは秘密を共有することを楽しんでいた。でも今回は違う。こんな秘密なんて抱えたくなかった。カールはジャックを守るため、彼がエイズに罹ったことをひた隠しにした。事情を知る人は全員、固く口止めされた。何も知らないふりをして、いつも通りに振る舞わなければならない。だからカールはわざと、皆の前でジャックの顔色が悪いと指摘したりもした。しかし、ジャックと一緒に出かけることは次第に減っていった。「カールは、ジャックを人から遠ざけていました。それは一つには、ぎりぎりまでジャックを守るためでした。もう一つの理由は、きらびやかなファッションの世界とエイズという病気が、相容れないものだからです。カールは(中略)、ジャックの病気を口実にして人目を引くようなことは決してしませんでした。カールはただ誠意を尽くして、最期までジャックに寄り添ったのです[12]」トマ・ドゥ・バシェールはそう分析する。

一九八八年の末、ジャックは入院した。それでもカールは、感情を一切表に出さなかった。ジャーナリストのペピータ・デュポンは当時、ユニヴェルシテ通りの自宅でカールに会い、『パリ・マッチ』誌に掲載するためのインタビューを行ったが、まったく気がつかなかったという。「日曜日なのに、たっぷりと時間を取って対応してくれました。通りに出てお礼を言っているときに、運転手がカールを待っているのに気がついたんです。カールは『ガルシュの病院[訳注4]に友人が入院してるんだ。重い病気でね』と言っていましたが、名前は口にしませんでした。だから私は、ご友人の回復を祈っていますと、ありきたりなお見舞いの言葉を返したのです[13]」ペピータ・デュポンはそう振り返る。

カールを乗せた車は、どんよりとした曇り空のパリをひた走る。試練に立ち向かうため、カールはある女性と待ち合わせていた。ディアンヌ・ドゥ・ボヴォ゠クラオンを、彼女の家の前で拾う。ロールス・ロイスに乗り込み、

訳注4——ガルシュの病院(レモン゠ポワンカレ病院)
パリ郊外、ブローニュの森とヴェルサイユの間に位置するパリの公立病院。

カールの隣に座った彼女は、力なく微笑む。「私たちはよく誘い合わせてお見舞いに行っていました。病に臥せっていたのは、どちらにとっても大切な人でしたから。カールと一緒でなければ、とても乗り越えられませんでした[14]」ディアンヌはこう続ける。「愛する人を失いつつあるときの苦悩や悲しみというのは、その人にしかわからないもの。でも時々、誰かと分かち合いたくなるんです。私とカールはスケジュールを調整して、いつもどちらかが病院にいるようにしていました。辛かったけれど、ジャックのために、できるだけ幸せを感じられて、くつろげて、心安らぐ時間になるように心を尽くしました[15]」日が暮れると、夕陽を背にした病院のシルエットがくっきりと浮かび上がる。「病院には陰鬱な雰囲気が満ちていて、医者は、原子爆弾でも取り扱うのかと思うほど厳重な感染防護服を着ていました。私たちは特に何も気にせずにお見舞いに行っていましたけどね[16]」

カールはただひたむきに、ジャックに寄り添った。さまざまな役柄を見事に演じてきたカール。彼はここでもその才能を生かし、ジャックが最期まで安心して過ごせるように、いつも通りのカールを演じたのだった。ディアンヌはこう強調する。「カールは自分の苦しみを、ジャックには絶対に気づかせないようにしていました。ジャックにひとつも不安を与えないようにしていたのです[17]」無上の献身だった。「本当に立派でした[18]」

やがて、つかの間の安らぎが訪れた。ジャックの容体が小康状態となり、数日間の外出許可が下りたので、パリ近郊のル・メ＝シュル＝セーヌにあるカールの家に行くことにしたのだ。そこなら、息の詰まるような病室を離れて、田舎の新鮮な空気を味わえる。ディアンヌはこう振り返る。「いろいろと大変なこともありましたが、この外泊は叶いました。最初のうち、ジャックはとても喜んでいました。でも病状がかなり進んでいたので、病院にいるほうが安心だと思っているようにも見えました[19]」

ジャックは自分の運命を、勇敢に受け入れた。病がいっそう悪化し、死を待つばかりとなってからも、彼は力を振り絞り、母親のアルメルに新しい手品を見せた。甥や姪たちのために、バレリーナのように片足を上げてくるりと回転し、決死のショーを披露したりもした。「病気のせいで、ジャックの身体にはあざがいくつもできていました」甥のトマは言う。「ジャックの母親はほぼ毎日お見舞いに来ていました。『ペルドリジョン神父の打撲用塗り薬』という昔ながらの市販薬を持ってきて、あざに塗り、その上から絆創膏を貼るんです。母親が帰ると、ジャックは絆創膏をあざのないところに貼り替えます。すると翌日、病院に来た母親が、奇跡が起きたと喜ぶのです。ジャックは自分が助かる見込みがないことを、よくわかっていたのでしょうね[20]」

やがてジャックは、危篤状態になった。家族や親しい人たちが、ジャックの最期の苦しみに寄り添う。ディアンヌも、ずっと彼のそばにいた。「旅立つことで、ジャックはようやく苦しみから解放されました[21]」ジャック・ドゥ・バシェールは、三十八歳で亡くなった。十八年間にわたってカールに温かく見守られながら、ジャックは自らを光り輝く作品へと仕立て上げた。「本当は、自らの才能を認めてもらいたかったのではないでしょうか。若くして亡くならなければ、ジャックはいずれ別の方向へと舵を切り、何らかの創作活動に打ち込んでいたかもしれません[22]」弟のグザヴィエ・ドゥ・バシェールはそう語る。一九八九年九月三日、旅立つジャックに、カールはどんな言葉をかけたのだろうか。それは誰にもわからない。

ジャックは、大事にしていたテディベアと一緒に火葬してほしいと言い遺していた。カールも今回ばかりは、ページを破り捨てることはできなかった。彼はこのとき、人生でおそらく初めて、自分の信条を曲げたのだ。パリで行われた葬儀の翌日、カールはル・メ＝シュル＝セーヌでミサを催した。それは、葬式には絶対に参列しないと決めていたカールが愛するジャックに捧げた、最後の、究極の愛のメッセージだった。

母親のアルメルは、ジャックが持っていた服の一部をカールに託した。「ジャックが亡くなったあと、アルメルはベリエール城にあったジャックの私物のほとんどをカールに引き渡しました。カールに形見として渡すべきだと考えたようです。二つの腕時計とカメオだけは、私たち甥に形見分けされました[23]」とトマは語る。

カールはジャックを失った悲しみを、ディアンヌやアルメル・ドゥ・バシェールと分かち合った。カールとアルメルは、長い手紙を定期的に交わした。カールはユニヴェルシテ通りの自宅にアルメルが自由に使える部屋を用意し、自身のファッションショーにも頻繁に招待した。ジャックの命日には、必ず花を贈った。ジャックをよく知り、ジャックに認められた者同士、二人は手を取り合い、ジャックの思い出を温め続けるのだった。

28 カールとエリザベス皇太后

池の噴水が、眠りへと誘うかのような心地よい音をたてて水面を打つ。そこに時折、鳥のさえずりが重なる。一九九〇年六月の、ある昼下がり。頭上には紺碧の空が広がり、天気は上々だ。もし霧雨でも降れば、ガーデンパーティーが台無しになるところだった。「十八世紀の田園風景」をテーマにした内装はまだ完成していないので、招待客に城の内部を見せるのはできれば避けたかった。一方、庭園は、最も美しい季節を迎えていた。色とりどりの花のブーケが、見事にセッティングされたビュッフェテーブルを彩る。日除けのパラソルの下には、プティフールやマカロンがピラミッド型に盛られている。この日のために特別に選ばれた招待客たちが、カールとともにその時をじっと待っていた。

それは、画家トゥールーズ＝ロートレックの又甥にあたるベルトラン・デュ・ヴィニョの思いつきから始まった。「一九八〇年代の末に、ジャン＝ルイ・ドゥ・フォシニー＝リュサンジュ公の依頼で、英国のエリザベス皇太后［訳注1］がプライベートでフランスを旅行される際の計画づくりに携わることになりました。私は特にブルターニュでの滞在を担当することになったので、そのときに、カールと皇太后が会う機会をつくったら面白いかもしれないと思ったのです。カールに打診してみたところ、グラン・シャン城の庭園を使おうと即答してくれました。彼はもともと、王室の由緒ある血統や威光に魅せられていましたから、皇太后をお迎えできることを手放しで喜んでいました[1]」

エリザベス皇太后はその日の午後、アフタヌーンティーのためにこの城に立ち寄ることになっていた。格式張らない、プライベートな訪問だ。カールはメディアを呼ぼうとしたが、ベルトラン・デュ・ヴィニョが思いとどまらせた。「お忍びの旅行ですし、失礼があってはいけませんから[2]」私的な旅行のため、皇太后の一行が通るルートは一切公表されなかった。

王室との付き合いもあるカールだが、エリザベス皇太后に会うというのは異例のことだ。「カールもさすがに緊張していました。皇太后と話すときは庭園や植物、城を話題にするようにして、自分の仕事やコレクションの話などはしないようにと、事前にアドバイスしました。そんなことは十分わかっていたでしょうけどね[3]」

カール・ラガーフェルドという人物やその職業、皇太后が訪れる城の歴史については、事前に皇太后の耳に入れてあった。「エリザベス皇太后は城や教会の建築にとても関心を持たれていて、フランスを訪れるのもお好きだったようです[4]」ただ今回、グラン・シャン城の外観と庭園しか見られないということは、皇太后には知らされていなかった。

カールは鉄格子の門の前で、皇太后陛下の到着を待った。やがて遠くに、一行らしき影が見えてくる。「皇太后陛下が到着される際の物々しい雰囲気には圧倒されました。六、七台の車に、警察車両と、

訳注1――エリザベス皇太后
現英国女王エリザベス二世の実母。出生名エリザベス・アンジェラ・マーガレット・ボーズ＝ライアン。一九〇〇年、スコットランド貴族のストラスモア伯爵家に生まれる。一九二三年に英国国王ジョージ五世の次男、ヨーク公アルバートと結婚。一九二六年に長女エリザベス、一九三〇年に次女マーガレットを出産した。一九三六年、アルバート王子がジョージ六世として国王に即位し、王妃になると、さまざまな公務をこなし、微笑みの公爵夫人と呼ばれた。一九三七年にはインド皇后の称号が加わり、最後のインド皇后となった。第二次世界大戦中は疎開せずロンドンにとどまり、大空襲にさらされるなか国民を鼓舞した。ヒトラーは彼女を「ヨーロッパで最も危険な女性」と評したという。一九五二年に夫のジョージ六世が崩御すると長女のエリザベスがエリザベス二世として王位を継承し、母親であるエリザベスは皇太后となった。その後も「クイーンマザー（女王の母）」として国民から慕われ、二〇〇〇年に百歳を迎えると国民から熱狂的な祝福を受けた。二〇〇二年三月三十日、ロンドン郊外のウィンザー城で死去。享年百一。

白バイ隊。厳かで迫力があり、不朽のイングランドがやってきた、という感じでした[5]」エリザベス皇太后が、公用車の黒いダイムラーから降りてくる。ベルトラン・デュ・ヴィニョが間に立ち、両者を紹介する。カールは、儀礼に従って皇太后陛下に挨拶をした。ベルトラン・デュ・ヴィニョ……そのまま会話を続けるのもためらわれたので、カールはすぐに庭園を案内することにした。池や花々、植え込みの迷路などを見ながら歩き、昼食後によく散歩している小さな森にも案内する。この城は、皇太后はカールに、エリザベス皇太后のお気に召したようだった。庭園をめぐるうちに緊張感も少しずつほぐれていき、皇太后はカールに、バラが咲き乱れる絵画の中を歩いているようだと声をかけたという。地元の役人たちが待つビュッフェテーブルに合流すると、英国伝統のアフタヌーンティーが始まる。幸いなことに、皇太后は城の中を見たいとは言わなかった。

磁器のティーカップを片手に、会話は続く。貴重な遺産が十分に保全されていないことに心を痛めていたエリザベス皇太后は、このグラン・シャンの城と庭園が美しく保たれていることを喜んでいた。「そのとき突然、雲ひとつない空から突風が吹いて、パラソルが一つ、ものすごい音を立てて吹き飛ばされたのです」とベルトラン・デュ・ヴィニョは説明する。「ボディガードがぱっと飛びかかり、その場にいた者は皆、何か大変なことが起きてしまったと思いました[6]」しかしエリザベス皇太后だけは、平然と座ったままだった。吹き飛んだパラソルは無事に「制圧」され、それを見た皇太后は立ち上がり、楽しそうに拍手をする。その様子を見て、一同はほっと胸をなでおろしたのだった。こうして、エリザベス皇太后の訪問は無事に終わった。「皇太后陛下にとって、このレセプションは特別な思い出になったことと思います[7]」ベルトラン・デュ・ヴィニョは言う。皇太后を見送り、ようやく緊張の解けたカールは、一瞬、身震いをした。彼は皇太后の、何事にも動じない、冷静な態度に驚嘆していた。とはいえ、それも当然のことかもしれない。第二次世界大戦中、ドイツが行った大規模な空襲「ザ・ブリッツ」[訳注2]

を経験した彼女には、もはや怖いものなどないのだろう。

　母親を亡くした後、カールはブルターニュにあるこの城を放置し、パリ市内の大邸宅へと移り住んだ。そしてさまざまな土地へ行き、別のアパルトマンを手に入れ、移り変わる時代を生き抜き、新たなコレクションをつくり、パリとモナコを行き来するうちに、この城に来る機会はますます少なくなっていった。その間、グラン・シャン城は、ピラールとラファエルという管理人夫婦に任せてあった。ただカールは、ジャックとともに考えた、当初の計画をあきらめたわけではなかった。離れを巨大な書棚とジムに改装したりもした。カールは物語をきちんと終わらせたかったのだ。彼はこの城を、何かの基金にしようと考えていたのかもしれない。だから建築家を雇い、翼棟を増築してスペースを拡張するための新たな工事を始めようとしていた。設計図が描かれ、大きな建築模型も作成された。

　しかし、こうして再び動き始めた新たな試みも、結局、成し遂げられることはなかった。カールの心はもう、この城からすっかり離れてしまっていたのだった。

訳注2――ザ・ブリッツ
第二次世界大戦中、ドイツが英国に対して行った大規模な空襲のこと。一九四〇年九月七日から一九四一年五月十日まで続いた。この爆撃によって民間人四万三千人以上が亡くなり、二百万戸以上の家屋が損壊した。「ロンドン大空襲」とも呼ばれるが、ロンドン以外にも、工業都市や港湾都市など多くの都市が攻撃を受けた。ドイツ空軍の攻撃は英国の降伏を狙いとしたものだったが、英国空軍は粘り強い反撃で応戦。一九四一年半ばにドイツは作戦を中止して英国から撤退し、攻撃対象をロシアに変えた。

29
氷の時代

ビジネスの規模が拡大し、コミュニケーション手段が発達し、ユビキタスな社会への期待が高まった一九九〇年代。この時代が好きだと、カールは言う。「グローバル化の時代だよ。世界中が自分の『ホーム』になるんだ。素晴らしいと思うね。本当は、自分の姿を隠して生きるほうが私の性には合っているのだけれど、この時代に適応し、時代を享受するために、私も精一杯、自分の姿を晒して頑張っているんだ。だから、皆が思い描く私のイメージと本当の私の姿が違うのは当然。仕方ないことだよ[1]」確かに、その頃カールを取り巻いていた現実は、周りに見えているものとは少し違っていた。

カールにとって一九九〇年代は、衰運に見舞われた時代だった。一九九七年十一月二十二日、フランス2の昼のニュース番組が二人のファッションデザイナーを取り上げ、事業の一部を閉鎖せざるを得ない状況であると報じた。その二人とは、クロード・モンタナとカール・ラガーフェルドだった。「過去二年間の売上高が四千万フラン(約六百万ユーロ)であるのに対し、累積損失は一億フラン(約千五百万ユーロ)を計上。『カール・ラガーフェルド』ブランドを経営するヴァンドームグループは破産手続きに入り、約五十人の従業員が失業に追い込まれた[2]」と、ニュースキャスターのソフィー・メゼルは読み上げた。

「カール・ラガーフェルド」ブランドは十三年前に創業して以来、モーリス・ビデルマン、コラ＝レヴィヨン、ダンヒル、ヴァンドーム・ラグジュアリー・グループ〔訳注1〕と、何度もオーナーが変わった。シャネルを復活させるという偉業を成し遂げ、革新をもたらし続けていたカールだったが、一方で、認めざるを得ない事実もあった。それはカールが、自身のアイデンティティやブランドイメージを市場に浸透させることができないということだった。ジャニー・サメはこう語る。「『カール・ラガーフェルド』ブランドのプレタポルテ・コレクションは、どれも素晴らしいものでした。白いシャツとブラックスーツが中心の、マスキュリンな女性をイメージしたコレクションです。それに当時のカールは、メディアも味方につけていました。それでもうまくいかなかった。顧客がついてこなかったんです。まるでシャネルという看板が、カール個人の成功を妨げているかのようでした[3]」

カールは永遠に、ココ・シャネルという強烈なアイコンを背負い続けることになるのだろうか。カールは、経営者になることを嫌がった。何にも縛られない、自立したクリエイターでいる必要があったのだ。カールにしてみれば、この事業が失敗した責任はＫＬのオーナーにある。「シャネルやフェンディは私の『使い方』を知っていたけれど、ＫＬのオーナーは私をうまく使うことができなかった。端的に言えばそういうことだよ[4]」そこでカールは、考え方の異なるヴァンドームグループと縁を切り、商標となった自分の名前を取り戻した。「私が事業を引き継いで、モンテカルロの他の出資者と共同経営することにしたんだ。モナコの居住権〔訳注2〕は十六年前に取得してあるからね[5]」

こうして翌年、「カール・ラガーフェルド」ブランドは再生する。「ラガーフェルド・ギャラリー」と名を

訳注1――ヴァンドーム・ラグジュアリー・グループ
ファッション、ジュエリー、時計ブランドの運営会社を傘下に収めるコングロマリット「リシュモングループ」の前身。現在、リシュモングループはラグジュアリー業界における三大グループの一つで、クロエのほか、カルティエ、ダンヒル、モンブラン、ヴァンクリーフ＆アーペルなど多数の有名ブランドを傘下にもつ。

変え、パリ左岸のセーヌ通りにブティックをオープンした。この店舗には、販売拠点としてだけでなくショールームとしての意味合いもあった。アパレルだけでなく雑貨や書籍も取り扱うことで、カールの美学やブランド独自の世界観を理解してもらおうと考えたのだった。ただ、根底にある問題は解決されないままだった。カールは本当に、自身の名を冠したブランドを大きくしたいと思っていたのだろうか。ヴァンサン・ダレはこう説明する。「世の中の人々が知っているのは、シャネルやフェンディのアーティスティック・ディレクターとしてのカールでした。そんななかで自分のブランドを立ち上げたのは、カール自身が望んだことというよりも、『デザイナーの最終目標は独立すること』という業界の暗黙のルールに従わざるを得なかったからだと思います。コレクションの仮縫いをするとき、カールはまずシャネル、それからクロエに行きます。自分のブランドに行くのは一番最後なんです。カールは、ブティックに自分の名前がついているのは好きじゃない、下品だと思う、と言っていました。それに彼は、縛られるのが嫌いでした。他のメゾンで仕事をしているときのほうが、ずっと生き生きしていましたよ[6]」カール・ラガーフェルドが、独自のブランドを展開する独立したデザイナーとして広く認識されるようになり、その名を冠したブランドが成功を収めるまでには、その後さらに数年が必要だった。

悪いニュースは続く。今度は、クロエとの契約が解除されることになったのだ。カールは一九八〇年代初め、シャネルのアーティスティック・ディレクターになった際にクロエと少々揉めて、メゾンを一度去っていた。一九八〇年代半ばにヴァンドーム・ラグジュアリー・グループの傘下に入ったものの業績悪化が続いていたクロエは、ブランド再建の旗手として、一九九二年に再びカールを起用した。だが

訳注2——モナコの居住権
モナコ公国の永住権のこと。労働許可付きの滞在許可を意味する。モナコで居住権を得るためには、一定以上の資産があること、モナコに住居があること、犯罪歴がないことなどを証明する書類を提出し、モナコ政府の審査を経て承認を受ける必要がある。モナコでは国民と外国人居住者に所得税が課されないことから、富裕層の移住希望者が絶えない。ただしフランス国籍者の場合のみ、免税目的の移住を防止するための規制が設けられており、モナコの居住権を取得してもフランスで納税する義務がある。

一九九七年に、クロエとの契約は再び終了する。カールが去ったあと、二十五歳という若さでクロエのデザイナーとなったのは、ポール・マッカートニーの娘であるステラ・マッカートニーだった。

　プライベートでも仕事でも辛い別れが続き、カールは精神的に追い詰められていったようだ。「カールは外出しなくなりました。フォトセッションも自宅で行い、同じチーム、同じ顔ぶれで、いつも夜遅くまで作業していました[7]」当時の様子について、ヴァンサン・ダレはそう説明する。カールはどんどん太っていった。そして大きくなった身体をゆったりとした服で隠し、サングラスや扇子で他人の視線を遮るようになった。インナーは黒いハイネック、スーツは決まってダークカラーだ。「あの頃は、マツダ[訳注3]のアイウェア、コム・デ・ギャルソン、ヨウジヤマモトをよく着ていたね。昔はSサイズだったのに、M、Lと大きくなって、しまいにはXLになってしまったんだ[8]」

　厳しい時代の真っ只中にいたカールは、このときもやはり、文学に自分を投影した。彼が崇敬するフランスの詩人カトリーヌ・ポッジ[訳注4]の詩に、当時のカールの心境を言い表すかのような、こんな1行がある。「私の愛する人が、私の人生からいなくなってしまった[9]」そう、ジャックはもういない。これから先もずっと。他にも、カールが好んで引用する一文があった。画家パウル・クレー[訳注5]の言葉だ。「私はすべてを生き、すべてを愛し、すべてを味わった。そして今、私は凍てつく太陽となった[10]」彼はそういう人生を生きようとしていたのだ。

訳注3――マツダ

DCブランド「ニコル」の創業者、松田光弘が一九八九年に立ち上げた海外向けアイウェアブランド。メガネの聖地といわれる鯖江で一貫生産を行っていた。繊細な彫金を施したフレーム、上質な素材、芸術品のようなデザインで人気を博した。一九八〇～九〇年代に一世を風靡し、その後アメリカのデザインチームによって二〇一一年に再生された。デザイナーの松田光弘は、文化服装学院時代、高田賢三の同期(「花の九期生」)だった。東京ファッションウィークの創設者としても知られる。

訳注4――カトリーヌ・ポッジ

フランスの詩人、作家。パリの上流家庭に育つ。幼い頃から外科医の父親が催す文学サロンに出入りし、さまざまな作家や芸術家と親しくしていた。十歳から日記をつけるなど才気あふれるカトリーヌは、一九〇七年、オックスフォード大学の女性向け学部に留学。しかし母親に説得されて中退する。その挫折感から一九〇九年に結婚するが、夫の浮気を知って自殺を図るなど、結婚生活に幻滅して勉強や日記を再開。「書くこと」に専念していく。一九二〇年頃から、同じく詩人で小説家のポール・ヴァレリーの愛人となるが、その関係は波乱に満ちていた。八年間の交際中、二人は書簡を交わし、それはのちに往復書簡集としてまとめられた。一九二八年にヴァレリーと別れると、カトリーヌは深い孤独を味わった。

カールはこれまで以上に仕事に打ち込んだ。痛々しい傷痕の存在すら忘れるほどに、凄まじいペースでコレクションをデザインし、ショーをこなし、写真を撮った。髪は真っ白になったが、染めたりはせず、白さを際立たせるためにパウダーをはたいた。しっかりと顔を上げ、前を向いて進んでいくのだ。過去を破り捨てて。

カールはジャックが亡くなったあと、ドイツに豪奢な別宅を購入したが、七年にわたる工事の末に手放している。ギリシャの神殿を思わせるこの邸宅は一九二〇年代に建てられたもので、カールが幼少期を過ごしたハンブルクの高級住宅街、ブランケネーゼにあった。建物の正面には円柱の並ぶ広い玄関ポーチがあり、その手前には大きな階段がある。高い壁と生い茂る木々で人目を遮った邸宅からは、エルベ川を行き来する船が見える。そこには、自らの輝かしい将来を信じて疑わなかったカール少年が耳にしていた音や、親しんでいた香りがあった。近くにはサロン・ド・テがあり、カールはよくそこに通い、一人静かに手紙を書いていた。

ジャックが生きた証しを残したいという思いから、カールはこの邸宅を「ヴィラ・ジャコ」と名付けた。また、ジャックの思い出とともにここで過ごすことで、故郷の思い出を美しく上書きしたいという思いもあった。このヴィラで彼が再現しようとしていたのは、戦間期のドイツの、失われたあの時代の雰囲気だけではなかった。両親が幸せな時代を過ごした家、カールが生まれた家の、インテリアさえも蘇らせようとしていた。あの頃と同じように、窓の外が透けて見える薄手のカーテンをかける。中欧スタイルの家具の上にはジャックの写真を飾り、その隣には父オットーと母エリザベートの写真も並べた。本当は、実際にラガーフェルド家が住んでいたハンブルクの家か、バート・ブラームシュテトの屋敷

訳注5——パウル・クレー
スイス出身のドイツ人画家。表現主義、キュビズム、シュルレアリスムなど、前衛芸術運動のさまざまなスタイルに影響を受けた個性的な作風が特徴。音楽一家に生まれ、幼い頃からヴァイオリンに親しんだ経験から、ポリフォニーやフーガといった音楽用語が用いられた作品も多い。一九一四年のチュニジア旅行をきっかけに色彩と線を重視した純粋抽象絵画を描くようになり、クレー独特の世界観が築かれていった。ドイツに設立された総合造形学校バウハウスで教鞭をとり、美術理論書を刊行。デュッセルドルフ美術学校の教授も務めた。

を手に入れたかったのだが、いずれもすでに取り壊されていた。

過去をやり直そうとするカールの試みは、そううまくはいかなかった。彼がここに来ることはほとんどなく、この家にはわずか数回しか泊まらなかったからだ。カールがこんなエピソードを語ったことがある[11]。ある夜、薄いカーテンの向こうから、風にのって両親の声が聞こえてきて、遠くに船の汽笛が鳴り響いた。次の瞬間、突如として現実に引き戻されたカールは、あれから流れた膨大な時の重みをひしひしと感じたのだという。時の流れを巻き戻すことはできないし、戦争の記憶をなくすことなどできないのだ。カールはそのとき、そう悟った。取り戻すことのできない麗しき過去を、永遠に留めておけるのは写真だけだった。だからカールは、この家を手放す前に何枚も写真を撮り、かたちある記憶として残すことにした。祖国ドイツに対して抱いていた悔恨を、払拭することはできなかった。「ヴィラ・ジャコ」を去るとき、カールはドイツに永遠の別れを告げた。いつの日か、この悲しみを乗り越えることができますようにと祈りながら。

一九九九年六月二十一日には、グラン・シャンの城も手放した。幼い頃からの夢を実現するために費やした、二十五年間とともに。

パリの家にあった調度品も売却することにした。パリのマティニョン通りに新本社を構えたオークションハウス「クリスティーズ」のサロンで、カールが所有していた枝付き大燭台や天蓋付きベッド、ルイ十五世様式の花瓶、百脚ほどの椅子のほか、ユニヴェルシテ通りの邸宅のエントランスホールに飾ってあった金装飾のネプチューン像などが展示された。そのほかの三百八十九点はカールの発案でモナコに輸送され、盛大な販売会が行われることになった。総額は一億七千万フラン（約二千五百万ユーロ）に上ると見られたが、売却総額はそれよりも二千万フラン少なかった。メディアは、カールが自宅の家具や装飾品を手放し始めた理由をしきりに詮索した。「売却後、カールはノーコメントを貫いたが、少し前に『ルイ十五世様式やルイ十六世様式に飽きたので日本式のミニマリズムを取り入れたい』と話しており、それが理由とも考えられる。もう一つの理由は、二億フラン（約三千万ユーロ）の税金修正申告を求められているというものだ。カールは居住地をモナコと申告していたが、税務当局はカールがフランス国内の複数の住居に滞在していたとして脱税を疑っている[12]」ヴァンサン・ノースは、liberation.fr の記事にそう書いた。この騒動は、カール側が追徴税額を承認したことで終結した[13]。

ユニヴェルシテ通りの邸宅は、大きく様変わりした。アンティークの家具や真っ赤なダマスク織、重厚感のある敷物などを取り払い、テーブルと椅子、ソファだけを置くことにした。必要最低限のものだけでいい。広々とした白い壁や床が、空間を研ぎ澄ます。カールは、フィリップ・スタルクやロナン＆エルワン・ブルレック、マーク・ニューソンなど、コンテンポラリーデザインの巨匠たちが手掛ける作品に夢中になった。コレクションをつくるときのように、過去を意識させる重々しさを取り払い、新たな価値観を取り入れる。それは、いつにも増して大胆なパラダイムシフトだった。カールは、グラン・シャンの古めかしい石造りの建物や、啓蒙時代のパリの調度品を手放しただけでなく、忘れてしまいたい過去の自分を知る知人など、人間関係も整理した。

30 変身

カールは、鏡に映る自分の姿にうんざりしていた。「すっかりみっともないおじさんになってしまった。もう耐えられない［1］」現実を直視して、自分を叱咤する。「こんなルックスのまま、デザイナーの仕事を続けることなんかできない。自分の劣化版みたいなものに成り果てる前に、変わるんだ。本腰を入れてダイエットに励め。着てみたい服があるのに、今の身体じゃ、とてもじゃないけど着こなせないぞ［2］」

フランシス・ヴェベールは、当時をこう振り返る。「カールは自分を責めていました。さすがに太り過ぎだと。スタイリッシュな外見を追い求める彼のこだわりが、自分の首を絞めていたんです。容姿にこだわるのは不安の表れであり、同時に、彼のプライドでもありました。カールは、どんな時でも人前に出られる姿でいるべきだと考えていましたから［3］」

カールは、ポルト・ドーフィヌにほど近い、パリ十六区のフランドリン大通りにあるクリニックにアポを取った。ジャン＝クロード・ウドレは、栄養学、ホメオパシー、フィトセラピー（植物療法）を専門とするドクターだ。白を基調とした診察室にはアート作品がいくつも飾られ、英国風の木製書棚には革装丁の専門書が並んでいた。部屋の真ん中には白いアームチェアが置かれている。カールは、ドクター・ウドレの正面に腰を下ろした。両端をぴんとひねり上げた立派な口ひげが印象的だ。初めての診察は、終始和やかな雰囲気で進んだ。

「はじめまして、ドクター。前の先生にはお世話になっていました」

「ええ、そのようですね。カルテは引き継いでいますよ[4]」

そんな言葉を交わしたあと、カールはサングラス越しにドクターをじっと見つめ、自分が誰だか知っているかとたずねた。ドクター・ウドレはこう打ち明ける。「お恥ずかしいことに、別のデザイナーと勘違いしていたんです。それでこう言いました。『有名なデザイナーだということは存じ上げていますが、詳しいことは……』[5]」そう聞いても、カールが気分を害した様子はなかった。それから、彼は自分のことについて話し始めた。ドクター・ウドレはこう振り返る。「（中略）幼少期のことから話してくれました。ドイツ北部で生まれたこと、母親はユーモアのある人だったがとても厳しくて、幼い頃からカールを大人扱いしたということ。それから、パリに来た理由も。三十分ほど話したあと、『今度は、先生のことを聞かせてください』と言われました。ですから私も同じように、自分の生い立ちなどを十分ほど話しました[6]」カールは、治療については少し考えてから決めたいと言って、クリニックを辞した。診察というより友人同士で話をするような雰囲気だったことに、ドクター・ウドレは驚いたという。「カールは知的で、経験豊かで、だからこそ用心深い。これから自分を治療するかもしれない人のことを知り、信頼関係を育んでおきたいと思っていたのでしょう[7]」

数日後、カールは再びクリニックにやってきた。この日カールはドクター・ウドレに、治療を受けようと思った理由を説明した。自分は太り過ぎだと思うし、現状に我慢ならない。「片田舎の公証人の身体にパリのデザイナーの魂が宿っているような、ちぐはぐな感じがする[8]」という。そして最後にこう言った。「私の外見と中身を一致させてほしいのです[9]」ドクター・ウドレはカールに、「食生活の見直し」が必要だし告げた。トータルで四十キロほど落とす必要があるが、まずは十キロ減が目標だ。「ダイエット中にしてはいけないことと、やるべきことを説明しました。カールは、自分のお抱え料理人をこちらに寄越すので彼にすべて説明してほしいと言い、帰っていきました[10]」

　こうして二〇〇〇年十一月一日、カールは細かく管理された食事療法をスタートした。ドクターが指示するレシピやメニューに従い、専属のスタッフが食事を用意する。ホットドッグ、クレープ、ソーセージとはもうおさらばだ。カールはこの食事療法のルールに従い、「自分自身を支配する独裁者[11]」と化した。「新入りの兵士に命じるかのように、自分に命令を下す。命令する将校と命令される歩兵、一人二役を演じるということだね[12]」カールの意志は強かった。何がなんでも痩せてやる。「規則は規則。ただ従うのみ。カールの『プロイセン気質』が出ていましたね[13]」ドクター・ウドレは言う。「自宅に友人を招いて夕食会をするときも、徹底していました。他のゲストが目の前でソースのかかった料理やフォアグラを食べるなか、カールは別に作らせたダイエット食を食べていた。自分で決めたルールを、自らに厳しく課していました[14]」ドクターがカールを諌めることすらあったという。「餓死でもしそうな勢いでしたから。そんなやり方をしても百害あって一利なしですよ[15]」午前八時に朝食、午後一時に昼食、そして午後八時に夕食。朝は、パン二切れとグレープフルーツ半分。夜は、いんげんとゆで卵。それに、自然派のサプリメント。口に入れたものを、噛んだだけで吐き出すこともあった。そうすれば「カロリーを摂取せずに味を楽しめる[16]」と。運動は、十五分間の筋トレを週三回。旅行や会食はできるだけ避けた。ファッションジャーナリストのジャニー・サメはこう話す。「ランチに招待されたときも、カールは先に昼食を済ませていました。（中略）何も口にしませんでしたよ[17]」「彼は食べ物には一切興味がありませんでした。グルメではなかったですね。生きる上での基本的な営みには無関心。そんな印象を受けました[18]」

ダイエットは順調だった。カールは気を良くして、数キロ痩せるたびにドクター・ウドレに報告した。こうしてカールは、十三カ月かけて四十三キロ痩せた。あまりにも痩せたので、何か悪い病気なのではないかと疑う者もいた。脂肪吸引手術をしたんだろうと言う者もいたが、実はカールは、大の手術嫌いなのだ。だから脂肪吸引をするなどありえないことだった。しかしカールはそんな噂も否定せず、好きなように言わせておいた。見事に痩せたカールは、「ハンガーみたいに」何でも似合う身体になった。ファッションジャーナリストのヴィヴィアンヌ・ブラッセルは、こう語る。「(ダイエットに成功した)カールを取材するのは楽しかったですね。気力がみなぎっていましたから。自分に満足していて、幸せそうで、カールらしさをようやく取り戻したという感じでした[19]」

カールは、ヨウジヤマモトやコム・デ・ギャルソンなどのゆったりとした服を着るのをやめ、スリムな身体を引き立てる着こなしを楽しみ始めた。ドクター・ウドレによれば、カールのファッションはがらりと変わったという。「デニムをはいたり、大きなバックルのベルトをしたり、私はよく知りませんけど、ドクロの指輪[訳注1]などをしていました[20]」ドクター・ウドレは続ける。「細くなった身体に満足していましたし、自分より三十歳も若いアシスタントでも入らないような服を着られたといって喜んでいましたよ[21]」ある日カールは、ディオールの新しいアーティスティック・ディレクター、エディ・スリマン[訳注2]がデザインした細身のジャケットを着て、診察室に現れた。そして嬉しそうにこう言っ

訳注1――ドクロの指輪（クロムハーツ）
クロムハーツは、米国発のシルバージュエリーブランド。ゴールドのアクセサリーや革製品も展開している。ハリウッドスターやミュージシャンが火付け役となり、世界的に人気のブランドへと成長した。圧倒的な存在感、繊細な彫金細工、ゴシック系の多彩なモチーフが特徴。スカル（ドクロ）モチーフを取り入れたラインもある。カールはクロムハーツの大ファンだと公言しており、ネックレスやリングをたくさん重ね付けしていた。「男が身に着けて許されるジュエリーはクロムハーツくらいなものだ」「クロムハーツの作品はすべて持っている」とも発言していた。

たという。「見てください、念願だった服が似合うようになりました[22]」

人生を楽しもうという気持ちも戻ってきたようだった。「ライフスタイルが大きく変わり、またパーティーやディナーに出かけるようになりました[23]」と、ヴァンサン・ダレは言う。新しい仲間もできた。エディ・スリマンのグループだ。若い取り巻きを連れて出かけたり、自宅でパーティーを楽しんだりするようになった。ドクター・ウドレにはイラストをプレゼントした。太った自分と痩せた自分の絵に、「メルシー、ドクター」というメッセージを添えたものだった。

本への情熱も健在で、カールの蔵書は膨大な数になっていた。書棚は壁を埋め尽くし、天井まで届く巨大な要塞のようになっていった。カールは、少しでも時間ができると読書に耽る。神学者のボシュエや哲学者サン＝シモンの作品はもちろん、ウエルベック[訳注3]や漫画など、幅広いジャンルを読んだ。カールは、世の中のことを何一つ見逃すまいとしていた。また、流行りの最新デジタルガジェットにも夢中になった。ファッションショーの最後にモデルたちと一緒にランウェイを歩いたり、「華麗なる変身」を叶えたレシピを紹介したりもした。自身のダイエットについて語るのはくだらないことだったが、スリムな身体を手に入れ、大きな話題になったことには満足していた。外見が取り沙汰されているうちは、内面を詮索されることはない。カールにとっては好都合だった。ベルナール・ピヴォとのインタビューで、実際のカールは教養人なのに、華やかな業界人という軽薄なイメージが先行してい

訳注2――エディ・スリマン

フランス出身のファッションデザイナー、フォトグラファー。フランスの高等教育機関であるパリ政治学院を卒業後、ルーブル学院で美術史を専攻。服飾に関する教育は受けておらず服作りは独学だが、パリのメゾンで経験を積み、若い頃から才能を発揮する。一九九七年、メンズのプレタポルテライン「イヴ・サンローラン リヴ・ゴーシュ オム」のディレクターに就任。その実績が評価され、二〇〇一年に「クリスチャン ディオール」に移籍。二〇〇七年まで「ディオール オム」を担当し、デザイン性の高いスタイリッシュな作品でカルト的な人気を誇るようになる。カールがダイエットの目標とした細身のスーツは、エディがこのディオール オム時代に手掛けたもの。イヴの死後、業績が低迷していた「イヴ・サンローラン」の後継者として、二〇一二年にクリエイティブディレクターに就任。メンズ＆ウィメンズの全コレクションを統括する立場となる。二〇一三年春夏コレクションでデビューすると、「少年性」や「ロック」に着想を得た繊細なデザインが絶賛された。「イヴ・サンローラン」から「サンローラン」へとブランド名を変え、「YSL」のロゴを廃止し、オートクチュールを復活させ、広告キャンペーンを自ら手掛けるなど、次々と大きな変革を行い、ケリンググループ（高級ブランドを多数傘下に抱えるコングロマリット）の中でも一、二を争うブランドへと成長させた。二〇一六年、サンローランのクリエイティブディレクターを退任。二〇一八年よりセリーヌのクリエイティブディレクターを務めている（二〇二〇年十一月末現在）。

ることについてどう思うかと聞かれ、カールはこう答えている。「他人の目に自分がどう映っているかなんて、まったく興味がないね。そんなものを気にするのはつまらないことだし、うぬぼれというものだ[24]」彼をよく知る書店店主のダニエル・シリアン＝サバティエによれば、カールは「ファッション業界の人というよりも教養豊かな文化人そのもの[25]」だったという。

　カールはこの頃から、レザーのフィンガーレスグローブで両手を隠すようになった。これで、カールの身体のどこからも年齢は感じられなくなった。カールは毎朝、真っ白なインテリアで統一された寝室やバスルーム、ドレッシングルームを移動しながら、何時間もかけて、病的なまでに念入りに「マリオネット」をつくり上げる。カールは自分のことを「マリオネット」と呼んでいた。クリーム、ヘアパウダー、ポニーテール、黒いサングラス、白いシャツ、高い襟、細身のジャケット、リング、ブローチ、鏡。こうしたアイテムで年齢を感じさせるパーツをすべて隠し、世間の荒波に立ち向かうための鎧をまとう。そんな儀式を、カールは毎日繰り返す。自分を守る盾として「マリオネット」を使うという手法は、カールが、大好きな映画『カリガリ博士』を参考にして編み出したものだ。この映画ではカリガリ博士が夢遊病患者チェザーレを操るのだが、カールの場合は、自身がマリオネットを操る者であり、同時に、操られるマリオネットでもあった。身体は精神に支配されている。だから精神を、そして感情を、あふれ出たり滲み出たりしないように、身体という容れ物の中に留めておくのだ。そうすれば、自分自身を完全にコントロールすることができる。自分が、自分というマリオ

訳注3――ミシェル・ウエルベック
フランスの小説家、詩人。一九九八年に長編『素粒子』を発表。性的コンプレックスを持つ男性高校教師と孤高の天才科学者という対照的な異父兄弟の人生を、量子論や遺伝子工学といったSF的枠組みの中で描いた異色作。フランスでベストセラーとなり、世界約三十カ国語に翻訳された（邦訳版：『素粒子』筑摩書房、二〇〇一年、野崎歓訳）。二〇一〇年には、架空の現代美術家の生涯を描いた長編『地図と領土』でゴンクール賞を受賞（邦訳版：『地図と領土』筑摩書房、二〇一三年、野崎歓訳）。

　二〇一五年一月七日、近未来小説『服従』を発表。この小説では、二〇二二年のフランス大統領選挙でイスラム政党がマリーヌ・ル・ペン率いる極右政党を破り、フランス史上初のイスラム政権が誕生するまでの道筋が描かれている。奇しくもこの新刊の発売当日にシャルリー・エブド襲撃事件（イスラム過激派が仏週刊風刺新聞を襲撃した事件）が起きた。この日発売されたシャルリー・エブド紙の一面に「二〇一五年に「私は歯を失い、二〇二二年に私は断食する」と話すウエルベックを描いた風刺画が掲載されていたことや、ウエルベック自身が常々イスラム教を批判していたことから、『服従』は世界中で大きな反響を呼んだ（邦訳版：『服従』河出書房新社、二〇一五年、大塚桃訳）。

ネットを操る。奇想天外な発想だが、極めて効果的な方法だった。

　ダイエットに成功して容姿を一新し、カールは辛い喪失体験を乗り越えたかに見えた。ファッションにも新たなスタイルを取り入れ、心機一転、まっさらな時代に突入した。しかし、こうしてできあがった真新しいマリオネットを操る、見えない糸の根もとには、カール自身の生きてきた長い歴史がある。その歴史がこのマリオネットを操っているのだ。マリオネットの衣装は、カールがこれまでに取り入れてきたファッションのなかから、選りすぐりだけを集めてつくり上げたもの。これまでさまざまなブランドでやってきたことを自分自身にも当てはめて、セルフプロデュースをしたというわけだ。一九六〇年代半ばからかけている濃い色のサングラス。十八世紀風の、ヘアパウダーをはたいたポニーテール。母親が敬愛したヴァルター・ラーテナウとハリー・ケスラー伯爵を彷彿とさせる、硬い襟芯の入った高い襟。そして、ジャック・ドゥ・バシェールが愛した、普遍的でクラシカルなスタイル。こうした過去のスタイルの融合によって完成したマリオネットの姿は、新しいが、すんなり受け入れられる。なぜならそれは、突如としてゼロから生まれたものではなく、過去に親しんだものを積み重ね、進化させた結果だからだ。その姿からは、カールが大切に温めてきた、過ぎ去った時代への彼の思いを感じ取ることができる。それらをひとつのスタイルとして様式化し、昇華させることにより、カールは自分の過去に、存在意義を与えたのだ。

　インテリアでは、コンテンポラリーなデザインを集めるようになった。カールはもともと、そういったデザインも好きだった。たとえば一九六〇年代半ば、カールがアールデコに夢中になる前、入居したばかりだったユニヴェルシテ通り三十五番地のアパルトマンのリビングルームには、イタリア人デザイナー、ジョエ・コロンボが手掛けたレザーのラウンジチェアが置かれていた。カールは次のインテリアはミニマリズムでいこうと考え、アンティークの調度品を手放すことにしたが、すべて売却することはできなかった。手元に残った青い花瓶は、新しいインテリアにうまく取り入れることにした。「やっぱり取っておくことにしたんだ。現代的なデザインともよく合うからね[26]」カールの自宅には他にもまだいくつかの家具やオブジェが残っていたが、ゲストルームの装飾にでも使おうと、そのまま置いておくことにした。だから、カールの家から十八世紀のインテリアが一掃されたわけではなかった。不思議なことにカールは、子ども時代の家具も手放さなかった。自宅に置き、ドイツに住んでいた頃の子ども部屋を忠実に再現していた。

父親が亡くなり、母親がフランスに来て以来、ドイツの邸宅に置かれていたこの子ども部屋の家具一式は、ずっとカールのそばにあった。引っ越してアパルトマンが変わっても、子ども部屋は必ず確保した。カールにとってそれは、内なる自我の中核であり、アイデンティティの深層にある無意識の領域でもあった。「カールがこの部屋に人を入れることはほとんどありませんでした[27]」ヴァンサン・ダレは言う。「見せてもらったことはありますが、ちらっと覗くくらいでした。なんだか見てはいけないような気がして。(中略)小さなナイトテーブル、その上にキャンドル、それと小さなシングルベッドがありました。ヴィクトル・ユーゴー記念館にでも行ったような気分でしたよ[28]」カール少年が絵を描いていたテーブルも、肘掛け椅子もある。小さなベッドに腰をかけて、物思いに耽ることもあったのだろうか。「何を考えていたのでしょうね」ヴァンサン・ダレは続ける。「息抜きの場所だったのかもしれないし、子どもの頃の自分に戻っていたのかもしれない。心の奥に封じ込めている感情を解き放って、あれこれと思いを馳せていたのかもしれません[29]」幼少期に対するカールの独特な思い入れについては、他人の想像が及ぶようなものではないし、カール本人に説明を求めても無駄だった。「カールにはそういう、ちょっと変わったところがありました。でも不思議なことに、普通と違うことをしていても、カールがそう言うならそうなのだろうと、人を納得させてしまう力があったのです[30]」カールのアシスタントをしていたヴァンサン・ダレはそう説明する。「カールは精神分析には懐疑的でしたが、自己分析力に優れていて、自分の心の傷を癒やす方法も心得ていました[31]」だから彼には、精神分析は必要なかった。フロイトの学説に対して一線を引いていた背景には、カールならではの理由があった。精神分析について聞かれると、カールは決まってこう答えた。「フロイトの弟子だったルー・アンドレアス＝ザロメは、恋人で詩人のライナー・マリア・リルケに宛てた手紙で、精神分析は『創造性を殺してしまうから、絶対に受けてはだめよ』と書いているんだ[32]」芸術活動を続けたい者にとって、精神分析を受けることは大きなリスクだというのだ。カールの創作活動も、見えない精神に支配されている。ただ、芸術活動を司る無意識が存在するとしても、それは得体の知れない、未知の神秘というほどのものではない。なぜならカールの母親が言うように、「自分自身に正直でいれば、問いかけるべき質問もその答えも自ずと見つかる[33]」のだから。そしてカールはもう、そんな自問自答を繰り返さなくとも、答えを見つけることができるのだから。カールにとって、母親の言葉は、フロイトにも勝る絶対的な存在なのだった。

31 話題のダンディ

新しいキャラクターを演じるカールは、ますます人目を引くようになった。ブラック&ホワイトの洗練されたスタイルは「歩くロゴ」と呼ばれている。カールに言わせると、こういうことだ。「子どもの頃は、風刺漫画家になりたいと思っていた。それがいつの間にか、漫画のキャラクターそのものになってしまった[1]」彼はもう、ガブリエル・シャネルの影武者ではない。パリでは少し前から、スタイリッシュなカールが写る巨大なポスターをあちこちで見かけるようになっていた。しかしその時はまだ誰も、のちに彼がもたらす革命の予感には気づいていなかった。

二〇〇四年十一月十二日、各局のニュース番組は一斉に同じ映像を流していた。スウェーデンのファストファッション大手H&Mの各店舗の前に、数百人が長い行列をつくっている。H&Mが立ち上げた、大物デザイナーとのコラボレーション企画。その記念すべき第一弾を飾るパートナーとして、カールが選ばれたのだった。カールはH&Mのために、三十点ほどのコレクションをデザインした。どれもコレクターズアイテムだ。開店時間が迫ると、客たちの興奮が一気に高まる。オープンと同時に店内に人がどっとなだれ込み、セール初日かと思うような大混雑となった。カール・ラガーフェルドがデザインした服を数十ユーロで手に入れられるというまたとないチャンスに、多くの人が飛びつく。まさに前代未聞の光景だった。メディアに頻繁に登場するようになったカールのイメージは、今やデザイナーというよりアーティストに近く、「ラガーフェルド」の名でデザインされたアイテムを買うことは、憧れのスターのグッズを手に入れる感覚にも近かった。

　この画期的なマーケティング戦略に参加して以来、カールのイメージは大きく変わった。一般の人には手の届かない存在だと思われていたカールが、あっという間に大衆に愛される人気者になったのだ。カールの下で働くお針子のアニタ・ブリエは、その変化を肌で感じたという。「私はブルゴーニュ地方の出身なのですが、今までは地元で仕事のことを話しても反応が薄くて、『へぇ……カール・ラガーフェルド？　そうなんだ……』と言われるだけでした。それがあの日以来、『ああ！　あのポニーテールの！　Ｈ＆Ｍの人！』と言われるようになったんです。劇的に変わりましたよ〔2〕」

　カールはまたしても時流を読み取り、鮮やかに適応したのだった。遠い別世界にいると思われていた七十一歳のスターデザイナーは、多くの人の心を引きつける身近な存在になった。父親のようであり、兄のようでもあり、理想の友だちのような存在。パリ、ミラノ、ドバイと、世界中どこへ行っても、カールは街なかで必ずファンに声をかけられた。エルベ・レジェはこう振り返る。「カールを見かけた若者たちはキャーキャー言って一緒に写真を撮り、サインをねだるんです。カールもスターらしく振る舞い、それに応えていました。若者に人気なのが満更でもないようで、『私は同世代には嫌われているんだ。でも少なくとも、この若者たちには好かれているようだな』などと言っていましたよ〔3〕」パリを歩いていると郊外のヤンチャな若者にも声をかけられるんだと、カールはいつもうれしそうに話していた。そして若者たちも、カールのことを慕っていた。

ジャーナリストたちは気の利いたコメントを求めて、カールを追いかけた。「私は観葉植物のようなもの。といっても、『きれいだ』って意味で言っているわけじゃないよ［4］」そんなドライで自虐的なカールのコメントは、毎回注目を浴びた。世間ではポリティカル・コレクトネスへの意識が高まっており、奔放な発言は炎上を招く恐れもあったが、カールの毒舌は止まらなかった。

――ファッションショーに出ているモデルが痩せすぎだと言われていますが？

「ずんぐり体型の人がランウェイを歩くのを見たい人なんかいないでしょう。痩せすぎモデルが不健康だなどと批判しているのは、ポテトチップスの袋を抱えてテレビの前に座っている太ったおばさんたちだよ。ファッションというのは夢であり、幻想なんだ［5］」

――毛皮産業は動物虐待では？

「ミンクというのはとても凶暴な動物で、人間のことが大嫌いらしいね［6］」

カールは名言を次々と繰り出す。メディアはカールの発言をせっせと集め、紹介した。カールの言葉は、母エリザベートを彷彿とさせた。彼女もどちらかといえば「ポリティカル・コレクト」な人ではなかった。

一方で、カールは温かく細やかな心遣いを見せて、ジャーナリストたちを驚かせた。自ら手配して、感謝のメッセージとともに大きな花束を贈ることもある。プレゼントをするのも好きだった。「カールの白宅で夜遅くまでインタビューをしたことがあったのですが、ソファにさりげなく、シャネルの小さなバッグが置かれていたんです。カールは『マダム・ブラッセル、なぜかこんなところに、こんなものが……』と言って、それをプレゼントしてくれました。彼のエレガントさがよく表れているでしょう？ジャーナリストに媚びを売る必要などなかったのですが、彼は相手の懐に入り、愛される術をよく知っていました［7］」モードの帝王という冷たい仮面の裏には、思いやりあふれる穏やかな人柄が隠されていた。「カールは礼儀正しくて丁寧で、さりげない気遣いを忘れない人。情が深く、金銭面だけでなく精神的にも多くの人の支えになってきました。しかも、とても控えめなのです。カールと話をしていると自分が賢くなったような気がするのですが、そう思わせるのも彼の才能なんでしょうね。他人の好奇心を刺激するのが得意で、カールとの会話はとにかく展開が早い。卓球のように、ぽんぽんと素早く反応しないとついていけないんです。滅多にいない、すごく魅力にあふれた人ですよ[8]」ジャーナリストのペピータ・デュポンはそう語る。インタビューの際も、口を挟むタイミングを与えてくれないのだという。「カールはあの独特の論法を用いて、機関銃のような勢いで質問に答えていきます。だからなかなか突っ込むことができないんです」と、ヴィヴィアンヌ・ブラッセルは説明する。「会話を終わらせるのは、いつも彼。相手を手玉に取るのが誰よりも上手いんです。でもカールになら、一杯食わされても腹が立たない。むしろ気持ちがいいくらいですよ[9]」

映画『市民ケーン』[訳注1]の主人公のように、カールは自分のテリトリーに、はっきりとした境界線を引いていた。そこから先は「No Trespassing（立入禁止）」この白己防衛システムが機能していたのは、カールを取り巻く知人らのおかげでもあった。「彼が隠していることや知られたくないことを、わざわざ詮索する必要がありますか？」と、セスカ・ヴァロワは問いかける。「カールとは親しくさせてもらっていますが、私たちは常に、彼のテリトリーの外側にいるんです。そこから見えるカールを慕っているのであって、それ以上のことを求めているわけではない。カールは謎に包まれているけれど、私はそんなカールが好き。すべてを知りたいとは思いません。私たちの目に

訳注1——『市民ケーン』
一九四一年公開の米映画。オーソン・ウェルズ監督の第一作で、斬新な構成と演出が高く評価され、映画史上屈指の傑作と言われている。「ローズバッド（バラのつぼみ）」という謎の言葉を残して死んだ、新聞王ケーン。その言葉の意味を探るため、新聞記者のトンプソンはケーンをよく知る人々を取材する。そしてその証言を通して、生前には窺い知ることのできなかった、ケーンの真の姿が明らかになっていく、というストーリー。最後のシーンに、ケーンの屋敷を囲むフェンスに掲げられた「NO TRESPASSING（立入禁止）」の看板が登場する。「ローズバッド」はその屋敷にずっと保管されていたソリに描かれたロゴマークで、そのソリは彼の幼少期の思い出を象徴するものだった。

見えているカールはもう十分奥が深くて、興味深い人物だと思いませんか[10]」

「ストーリーテリング」の手法を思わせるカールの話術は巧みで、盛りすぎだと感じさせることはなかった。一九六〇年代末にインタビューを受け始めた当初から、カールの語るエピソードは概ね完成していた。バルト海の霧に包まれた幼少期や、抑圧的だが理論的な母親のことなど、自身の生い立ちに関する物語は伝説化され、その後もほぼそのままの内容で語られ続けた。ジャニー・サメはこう指摘する。「カールは自分の母親について、利己的で厳格な毒親という虚構をつくり上げたのだと思います。そもそもは、カールの欠点はすべて母親のせいだと思わせるようなフィクションをつくったのです。カールの謙遜から始まったものでした。母親が本当はどんな人だったのか、カールが語ることはありません。父親に関しても同じでした[11]」吸血鬼の世界を彷彿とさせるカールの「伝説」の数々は、伝えたいイメージに合わせて脚色したものだと、カール自身も認めている。「切り売りするのは自分のうわべだけ、ってことにしているからね[12]」とカールは言う。「私の人生はサイエンス・フィクションだ。皆が私について知っていると思っていることと、本当の私との間には大きなギャップがある。だからSFみたいなものなんだ。現実はまったくの別物だし、もっとつまらないものだよ[13]」長らくタブーとされていたジャック・ドゥ・バシェールの話も、徐々に語られるようになり、カールの伝説に組み込まれていった。パトリック・ウルカードはこう説明する。「カールは小説を書くように伝説をつくっていきました。一つの嘘もない、隅々まで考え抜かれた物語です。（中略）想像力を駆使してつくられたこの伝説においては、ファッションは背景のひとつに過ぎません。そしてカールは、美しく描写された物語の主人公であり、ストーリーテラーなんです[14]」

彼の創作と話術の巧みさを象徴しているのが、誕生日に関するエピソードだ。カールはまさに目くらましの天才だった。「また誕生日の話？　もううんざりだね。九月十日という日付だって間違っているんだ。一九三三年なのか一九三八年なのかもわからない。だから自分で決めることにした。世代や年齢なんてどうでもいい。そんなものに縛られる必要なんてないしね[15]」事務所が公表しているカールの生まれ年は一九三八年となっているが、一九三三年だと言う者もいる。そしてカールが、話をさらにややこしくする。「真ん中をとって一九三五年にしようか。誕生日を変えたのは母なんだ。三か八にしておくほうが都合が良かったんだろうね（中略）。母が亡くなってから知ったから、なぜそんなことをしたのかはわからない。何か事情があったんだろう。まあ、私にも君たちにも関係ないことだけど[16]」カールにかかれば、誕生日などという些細な情報にすら尾ひれがついて、人々の関心を引くトピックになるのだ。ディアンヌ・ドゥ・ボヴォ＝クラオンはこう説明する。「夢を与えるために自分のイメージを確立する必要があるということを、カールは早いうちから理解していました。特に、謎めいた部分が必要だということも。第一、カール・ラガーフェルドという人物のことを本当に知りたがっている人なんて誰もいないでしょう。誰でも簡単に読める本みたいに彼のことがすべてわかってしまったら、それはそれでつまらないですよね。だからカールは、情報を操作して撹乱する。しかもそれがうまくいくものだから、すっかり面白がっているんです[17]」カールは、観客の注意を巧みに逸らしてトリックを見せないようにする、凄腕のマジシャンなのだ。

32 ひとり舞台

二〇〇八年六月五日木曜日、張り巡らされた柵の向こう側に大勢の人が集まり、特設の大画面を見上げていた。当時のフランス大統領ニコラ・サルコジ、夫人のカーラ・ブルーニ、ベルナデット・シラク、ベルトラン・ドラノエ、フレデリック・ミッテラン、ヴァレンティノ、ジョン・ガリアーノ、ソニア・リキエル、ベルナール＝アンリ・レヴィ、アリエル・ドンバールといった錚々たる顔ぶれが、パリ一区にあるサンロック教会前の大階段の下で、ピエール・ベルジェにお悔やみの言葉をかけ、次々と中へ入っていく。イヴ・サンローランが、永眠した。イヴの眠る棺が教会に到着し、人々の称賛の拍手がそれを迎える。

教会に入ったヴィクトワール・ドゥトルロウは、ディオール関係者の席に案内された。素早く視線を走らせて、カールの姿を探す。「葬儀ではカールを見かけませんでした[1]」と彼女は言う。カールはその頃、サンロック教会からそう遠くない、サンギヨーム通りのオフィスで仕事をしていた。おそらく彼の手元には、案内状は届かなかったのだろう。もっとも、招待されたとしても、カールが参列したとは思えない。

カールの葬式嫌いは有名だった。イヴとはライバル関係にあったが、イヴが憎いという理由だけで葬儀を欠席したわけではなかった。ただ結果として、二人の関係はこういったかたちで幕を閉じることとなった。無関心を装いながら、カールはどんな思いでいたのだろうか。きっと、イヴ・サンローランと出会った頃のことを思い出していたはずだ。アルジェリアから来たばかりのイヴをオープンカーに乗せ、自分の庭のようにパリを案内したこともあった。楽しいことだけを追い求めていた時代。夜遊びのあとは決まってカールの家へ行き、いつも朝方まで語り合った。どれも懐かしい思い出だ。そう、ピエール・ベルジェが現れるまでは。ピエールに出会い、イヴがすっかり変わってしまった後のことについては、特に何の感慨もなかった。

二人の関係がぎくしゃくし始めた当初は、対抗心を抱えながらも、波風を立てることなくやり過ごすことができた。しかしジャック・ドゥ・バシェールが敵陣に首を突っ込み、ピエール・ベルジェが事を荒立てたことで、カールとイヴの関係は周知の冷戦へと発展した。ジャニー・サメはこう説明する。「カールにとって、イヴは最大のライバルでした。ファッションウィーク中、より多くの注目を浴びるのはシャネルか、サンローランか。強力なライバルとして、また倒すべき敵としてカールが意識していたのは、ディオールではなくサンローランだったのです[2]」弁の立つカールは、機会があれば遠慮なくイヴを批判した。二〇〇二年にイヴが引退を決め、メディアからコメントを求められると、カールはこう答えた。「正直言って、私の知ったことじゃない。(中略)時代は勝手に変わる。誰かが辞めるから時代が変わるなんてことはないんだ。必要な役者は揃っている。だから一人減ったとしても誰も困らないよ。ただ、トム・フォード[訳注1]がいたのはラッキーだったね。彼のデザインは素晴らしいし、サンローランのプレタポルテに新たな息吹をもたらした。

訳注1――トム・フォード
米国出身のファッションデザイナー。一九九四年より「グッチ」のクリエイティブディレクターを務め、二〇〇一年にプレタポルテライン「イヴ・サンローラン リヴ・ゴーシュ」のクリエイティブディレクターに就任。自らが得意とする強くセクシーな女性像をサンローランのプレタポルテに反映し、新たなイメージを確立した。二〇〇四年、自身のブランドを立ち上げるため同職を辞任した。

ブラボー、トム！〔3〕」サンローランのプレタポルテラインを引き継いだトム・フォードを称えることにより、カールは一足先に、旧友であるイヴを葬っていたのだ。そうしたカールからの攻撃に、イヴもしっかり応戦していた。たとえば、ジャニー・サメがイヴにインタビューしたとき、彼はこんな話をしたそうだ。「『今朝、不思議な夢を見たんだ。パリの街を、ココ・シャネルと一緒に歩いている。ココと私はカンボン通りのシャネルのブティックの前まできて、ショーウィンドウを覗き込み、そこでなぜか二人して、さめざめと泣き出してしまったんだよ』とイヴは言うんです。これって、ものすごく狡猾で陰険な反撃だと思いませんか？〔4〕」

イヴはこの世を去った。そしてカールは、まだ生きていた。カールとイヴが出会った頃に一緒に見てもらった占い師の予言は、見事に的中した。彼女が言った通り、イヴには「劇的な成功」が訪れ、カールも少し遅れて成功を手にした。カールの未来について占い師は、「同じ種類のものが増殖したり、掛け合わせられる」様子が見えると話していた。確かに、プレタポルテの世界に入ってからは新規の依頼が殺到し、仕事が途切れることはなかった。ファッションという枠を超えて、さまざまな分野のブランドがカールの才能を必要とした。インテリアデザインや空間デザイン、アイウェアやカレンダーのデザインを手掛けたり、辞書の挿絵を描いたり、広告をつくったり、老舗パティスリーメゾンや有名シェフと手を組んでブッシュ・ド・ノエルを発表したりと、他業種とのコラボレーションもひっきりなしに続いた。フォトグラファーとして多くのアート写真を撮影し、出版社を立ち上げ、書店もオープンした。映画の衣装から舞台装飾まで、カールは多種多様なプロジェクトに次々と取り組み、働き続けた。もちろん、シャネルやフェンディ、ＫＬブランドの仕事と並行して。カールはメディアからも引っ張りだこだった。黄色の安全ベストを着て交通安全キャンペーンの広告に出演したり、アニメやビデオゲームの声優に挑戦したり、王室の結婚式のテレビ中継にコメンテーターとして出演したり。フランス人歌手ジャン・ロックのPV「Saint-Tropez（サントロペ）」には、なんと「神様」役で出演している。カールはいくつものマリオネットを同時に操っていたのだ。

パリ左岸のサンジェルマン大通りにある「カール・ラガーフェルド」のブティックでは、カールの横顔のシルエットをロゴとしてあしらった新ラインが発売された。「カール・ラガーフェルドの『タイムレス×シニカル×スタイリッシュ×クール』な魅力をすべて詰め込んだ」コレクションだという。その後も毎日のように、KLと大手企業との新たなコラボレーションが発表された。シャネルのファッションショーでは毎回、カールが考えた壮大で華やかな舞台装置が披露され、観客を驚かせる。世界中の人が、そのアーティスティックなショーを心待ちにしているのだ。十七歳のカールがいつか住みたいと夢見ていたホテル・ド・クリオンの、二室のスイートの内装も手掛けた。グラン・パレのガラス屋根の下に本物そっくりに再現したエッフェル塔の前で、パリ市長からパリ市大金章［訳注2］を授与されたこともある。

カールにとってファッションは、自分の望みを叶えるための手段の一つだった。自分の物語を自らの手で描くことのできる「デザイナー」になり、時代を統べる帝王になる。幼少期からカールの胸の中にあったこのビジョンは、一度もぶれることはなかった。「カールという人間の存在感はとてつもなく大きなものとなり、デザイナーという職業を超えた存在になりました。彼の職業はもはや『マリオネット』なんですよ［5］」と、タン・ジュディチェリは言う。

ドイツの片田舎でひとり静かに絵を描いていた少年は、その後の人生で多くの傷を負ったことだろう。その傷の深さはどれほどのもので、それを癒やすのにどれだけの時間を費やしたのだろうか？　そしてその傷は、彼をど

訳注2——パリ市大金章
パリ市に関する活動において優れた功績を収めた人物に対し、パリ市から贈られる勲章。パリ市が与える勲章には五つの位があり、パリ市大金章はその最高位にあたる。

う変えたのだろうか？　「彼はずっと彼のままよ」ヴィクトワール・ドゥトルロウは言う。「カールが心から愛したもの。たまらなく辛かったこと。彼がそれを表に出すことはありませんでした。外から見るだけでは、彼の本心を知ることなどできないんです[6]」

33 立つ鳥、跡を濁さず

すべての原点は子ども時代にある。サルトル［訳注1］の自伝的小説『言葉』を愛読していたカールは、そのことを昔から知っていた。そして、すべては子ども時代に回帰する、ということも。「私もだんだんと歳を取り、やがて身体が縮んでいくだろう。そうなったら、この、子ども時代に使っていたソファや整理だんす、アームチェア、それから、物を書いたり絵を描いたりしていたこの机に囲まれて過ごすんだ。それで、この子ども用のベッドで眠る。部屋の壁には、当時と同じ絵を飾るよ。あの絵は、母が見飽きたから私の部屋に飾っただけなのかもしれないけど、そんなことはどうでもいい。この子ども部屋にあるものはすべて、生まれたときからずっと私のそばにあった。子ども時代がずっとそこにあるようなものなんだ。センチメンタリズムと言ってもいいね［1］」

セーヌ川を行くバトー・ムッシュの小さな光が、岸辺からの強い光に飲み込まれる。一晩中、闇をかき消すほどに煌々と辺りを照らすその明かりは、ヴォルテール通りにあるカールの新しいアパルトマンから放たれてい

訳注1――サルトル
ジャン=ポール・シャルル・エマール・サルトル（一九〇五～一九八〇年）は、フランス・パリ出身の哲学者、作家。サルトルは「実存は本質に先立つ」と主張し、「人間は自由という刑に処せられている」と論じた。無神論の立場から考えると、あらゆるものはその本質を神に決定されないまま現実に存在している。ゆえに人間はまず先に実存し、そのあとで自分の本質を自らつくりあげなくてはならないのだ、と説いた。哲学者で作家、フェミニスト活動家のシモーヌ・ド・ボーヴォワールを生涯の伴侶とした。二人は、実存主義の立場から自由意志に基づく個人の選択を重視し、婚姻も子どもを持つことも拒否し、互いの性的自由を認めつつ終生を共に生きた。

た。カールは今、パリに来た当初に住んでいたアパルトマンの数軒となりに住んでいる。ワーグナーやオスカー・ワイルドが泊まり、ボードレール［訳注2］が『悪の華』［訳注3］を執筆したホテルにもほど近い。

夜になると、もう一人のカール・ラガーフェルドが現れる。家で過ごすときは、デザイン画を描くときも眠るときも、白いロングシャツを着ている。このカールの姿を目にすることができるのは、愛猫シュペットだけだった。

カールは用意周到な人だったと、若い頃から彼を知るフランシス・ヴェベールは言う。「カールは、寝る前に丁寧に髪をとかし、身なりをできるだけ小綺麗に整えるんだと言っていました。そうすれば、寝ている間に死んだとしても、人様に恥ずかしい姿を見せなくてすむから、とね［2］」

物語を伝説から神話へと昇華させ、人生の最期の瞬間まで自らを完璧に演出し、自身のプライベートを永遠の秘密として隠し通す。そのためにカールは、作家エードゥアルト・フォン・カイザーリングに倣い、自分がこの世に生きた証しやあらゆる書類を燃やしてしまおうと考えていた。自分の遺骨はジャックと同じ場所に安置してほしいと、言い遺してある。「ジャックの遺骨は母の遺骨と一緒に収めてあって、場所は公にはしていない。いつか私も、そこに加わることになるだろう。でも葬式のようなことはしないでほしい。私はある日この世にやってきて、ある日ここから去っていく。それだけのことなんだ。騒ぎ立てる必要はない［3］」ジャングルに棲む野生動物のように、誰にも見つからないところでひっそりと死にたいと、カールは考えていた。彼がこの世に残すものは、一本の線で描かれたシルエットだけでいい。

訳注2――ボードレール
シャルル=ピエール・ボードレールは、フランス・パリ生まれの詩人、評論家（一八二一～一八六七年）。二十歳で実父の遺産を相続して散財、放蕩と贅沢の限りを尽くした後、母親、友人、出版社に金の無心をしつつ、借金取りから逃げるという生活を続けた。母親から英語を学んだボードレールは、米国の小説家で詩人のエドガー・アラン・ポーの作品をフランス語に翻訳。ボードレールが翻訳したことにより、ポーの作品は本国アメリカよりもフランスにおいて高く評価された。

訳注3――『悪の華』
ボードレールが一八五七年に発表した『悪の華』は、近代人の苦悩と憂鬱、悪を主題とした韻文詩集。セックスと死、麻薬と絶望についてうたった衝撃的な内容は反道徳的であるとみなされ、初版本に収録されている百一篇のうち六篇（禁断詩篇）が発禁処分となり、ボードレールは有罪判決を受けて多額の罰金を科せられた。死後に『悪の華』に対する評価が高まり、その卑猥的で耽美的、背教的な内容はフランスのみならず世界の詩壇に多大な影響を与えたほか、さまざまなジャンルの芸術家を魅了した。

カール・ラガーフェルドがこの世を去ったら、誰が後を継ぐのか。シャネルのヘッドデザイナーの後任について、カールが公式に誰かの名を挙げたことはなかった。カールのバイタリティ、意欲、才能に匹敵するものを求めるなら、普通のデザイナー一人ではとても足りない。数人のクリエイターが必要になるはずだ。同様のことはプライベートについても言える。カールの跡を継ぐのは誰なのか。カールはよくこんなことを言っていた。「もし自分に子どもがいたら、それが一番の心配の種になるだろうと思うんだ。『父親として最高の瞬間は、自分の息子が無能だと気づいたときだ』なんて言う人もいるようだけど、そういう感覚は、たとえ子どもができても、私には理解できなかっただろうね[4]」では遺産は？　子どものいないカールの遺産を相続するのは誰なのか？　カールが目に入れても痛くないと公言していた、猫のシュペットだろうか。シュペットは自分名義の銀行口座を持っていて、写真のモデルを務めるとその口座にモデル料が振り込まれるというから、ありえない話ではないのかもしれない。妥当な線では身内の誰かだろうが、カールは自分には家族はいないと言っている。では、親しい友人の誰かだろうか。カールは、自分の人生に関わる人間を、自分で選んでいる。形だけの付き合いではなく、気の合う人たちと「共鳴し合う関係」を育みたいと思うからだ。そうして選ばれた、心を許せるメンバーの一人に、ハドソンという少年がいる。長年カールのミューズを務めているモデル、ブラッド・クローニッヒの息子で、カールの秘蔵っ子だ。シャネルのショーでは、名付け親であるカールと手をつないでランウェイを歩くのが恒例となっている。ハドソンはパリに来ると必ず、リッツ ホテルに泊まりたがるという。「ハドソンが『ル・ムーリスは嫌だよ、プールがないから』と言うので、（中略）誰かが『リッツはル・ムーリスよりだいぶ高いんだよ』と諭した。そうしたら、『じゃあ僕が差額を払うよ』と言うんだ。八歳の子がね！[5]」テレビカメラの前でこのエピソードを語るカールの表情からは、そんなハドソンを誇らしく思っている様子がうかがえた。そしてハドソンの堂々たる振る舞いは、怖いもの知らずの、「小さな大人」だった頃のカールにとてもよく似ていた。

エピローグ

ジャック・ドゥ・バシェールが敬愛した作家、ジョリス＝カルル・ユイスマンス。彼が一八八四年に発表した小説『さかしま』の中に、主人公フロレッサス・デゼッサントにまつわるこんな描写がある。「リヴォリ街に来て、彼はガリニャンズ・メッセンジャー書店の前に降り立った。磨ガラスのドアには、いっぱい文字が書いてあり、新聞の切り抜きや、電報の青い受信紙を貼りつけた台紙が飾ってあって、一歩ドアを入ると、二つの大きなガラスのショオ・ケースがあり、そのなかにアルバムや書籍などがたくさん並べてあった[1]」その一三〇年後、同じ書店のショーウィンドウの前に立つカールの姿は、小説から抜け出てきた主人公のようだった。ガラスのドアを開けて店内に入ると、カールは書棚の間を通り抜け、彼専用の引き出しへとまっすぐ向かう。常連客であるカールの好みを熟知した書店員が、彼が気に入りそうな本をそこに入れておいてくれるのだ。その場で、サングラスを持ち上げ、丁寧な手つきで本のページをめくることもあった。この英書専門店の店主、ダニエル・シリアン＝サバティエはこう話してくれた。「カールが関心を持つのは、『美』にまつわるものすべてでした。詩、英国の古典文学、アメリカの現代小説、政治エッセイ、歴史、建築、十八世紀の装飾芸術のほか、『ウィーン工房』［訳注1］、写真、あらゆるジャンルのファッションなど、本当にさまざま

訳注1――ウィーン工房
正式名はウィーン工房・ウィーンにおける手工業者生産組合。一九〇三年、建築家のヨーゼフ・ホフマンとコロマン・モーザーが設立したウィーン分離派（ゼツェッシオン）の工芸品製作所。総合芸術の工房を目指し、建築、室内装飾、家具、ガラス細工、陶器、宝飾、テキスタイル、皮革、書籍など、幅広い分野を手掛けた。工芸や職人の手仕事をデザインの創造過程の中に組み込むことにより、トレンドを生み、他国の工芸にも影響を与えた。

な分野に目を通します。ニーチェが言うところの『悦ばしき知識』をそのまま生きているような人です。本を超えるくらい豊富な知識をお持ちですよ[2]ここでもいつものように、カールは同じ本を数冊ずつ買う。本の内容に間違いを見つけると、きちんとリストアップしておく。次に来店したときに、書店員とそれについて意見を交わすこともよくあった。

この書店は、リヴォリ通りに連なるアーケード街の中にある。この通りにはさまざまな思い出があった。書店を出て右へ向かうと、アーケードの終点あたりに老舗の紳士服店「ヒルディッチ＆キー」がある。カールがパリに来た頃に父親と来店し、初めてシャツを仕立てて以来、今もよく利用する店だ。反対側の数軒先、リヴォリ通り二〇二番地には、ジャックが最後に住んでいたアパルトマンがある。チュイルリー公園を臨むそのアパルトマンは、一九八九年にジャックが亡くなってからも、変わらずそのままになっている。カールは今も家賃を払い続けているらしい。そんな噂もまた、伝説として人々の間で語り継がれていくのだ。カールはまだアパルトマンの鍵を持っているのだろうか。一九八〇年代、シャネルのファーストコレクションを仕上げるために人目を忍んでカンボン通りに向かったときのように、夜の闇に紛れて、この場所に来ることもあるのだろうか。

カールに聞いたところで、また手玉に取られるのがおちだろう。すげなく否定されるか、話を盛って伝説に仕立て上げられるかだ。

書店の前にはいつものように専用車が待機し、街灯が投げかける暖色の明かりに照らされながら、数冊の本を抱えたカールが乗り込んでくるのを待っている。ただ、運転手は知っている。カールがいつも、ここではゆっくりと時間をとることを。そしてこの日も、パリが世界で最も美しい街であることに、変わりはなかった。

謝辞

本書を執筆するにあたり、私を信頼し、常に温かくサポートしてくださったファイヤール社のスタッフの皆様に、この場をお借りして心から感謝申し上げる。

本書をかたちにすることができたのは、カール・ラガーフェルド氏にまつわるさまざまなエピソードを語ってくださった方々のおかげである。以下、ご協力くださった皆様に、深くお礼申し上げる。フィリップ・アギョン、ダニエル・アルクッフ、ベルナール・アルノー、トマ・ドゥ・バシェール、グザヴィエ・ドゥ・バシェール、ディアンヌ・ドゥ・ボヴォ＝クラオン、ジェニー・ベレール、ローランス・ベナイム、ハンス＝ヨアヒム・ブロニッシュ、クロード・ブルエ、ダニエル・シリアン＝サバティエ、ヴァンサン・ダレ、ベルンハルト＝ミヒャエル・ドンベルク、ヴィクトワール・ドゥトルロウ、クリスチャン・デュメ＝ルヴォウスキ、ペピータ・デュポン、エレーヌ・ギニャール、タン・ジュディチェリ、コーリー・グラント・ティッピン、シルヴィー・グラムバック、ロナルド・ホルスト、ジャン＝クロード・ウドレ、パトリック・ウルカード、シルヴィア・ヤーケ、エルフリーデ・フォン・ヤウアン、オリヴィエ・ラベッス、ソフィー・ドゥ・ラングラード、フレデリック・ロルカ、フィリップ・モリヨン、パキータ・パカン、ピエール・パッスボン、ベルトラン・ピッザン、ジャニー・サメ、ジェラルディーヌ＝ジュリー・ソミエ、高田賢三、セスカ・

ヴァロワ、ベルトラン・デュ・ヴィニョ、カール・ワグナー（アルファベット順、敬称略）。

また、ジャーナリストのローラン・ドゥラウス氏にも深謝の意を表する。本書は、同氏が進行役を務めるドキュメンタリー番組「Un jour, un destin」（製作：Magnéto Presse、放送局：フランス2）のために私が制作、監督したドキュメンタリー映像の延長として刊行されたものである。同氏の的確なサポートと厚情は、私にとって大きな励ましとなった。

　同じく、次の方々にも謝意を表したい。エルフリード・ルカ、マルク・ベルデュゴ、セルジュ・カルフォン、エルワン・レレウエ、ファビアン・ブシュセーシュ、サラ・ブリアン、ソフィー・トネリ、ガブリエル・ビュティ、ドロテ・クレエル、サマンタ・ボガール、エリーズ・ブロンサール、フロリアーヌ・ジレット、レミー・ビダーラ（順不同、敬称略）。

本書の執筆にあたり多大なるお力添えをいただいたパトリック・ドゥ・シネティ氏とエルベ・レジェ氏にも、深くお礼申し上げる。

また、ピエール・バリエ氏、ジャンニ・バステリカ氏、アントニー・ボボー氏、ステファン・モラン氏にも感謝の意を伝えたい。

最後に、著者および発行者より、本書の推敲にご参加くださったジャン＝マルク・パリジ氏に心よりお礼申し上げる。

4——邦訳版からの引用あり。
邦訳版：『さかしま』J·K·ユイスマンス著、
澁澤龍彦訳、河出文庫、2002年
5——邦訳版からの引用あり。
この本に関しては、本文内で邦訳版を
引用した箇所と、岡フリオ朋子の訳をあてた
箇所が混在している。
邦訳版：『彼方』J·K·ユイスマンス著、
田辺貞之助訳、東京創元社、1975年
6——邦訳版からの引用あり。
邦訳版：『ドリアン・グレイの肖像』
オスカー・ワイルド著、福田恆存訳、新潮社、
1962年

31——著者とのインタビュー
32——Anne-Cécile Beaudoin & Élisabeth Lazaroo「Karl Lagerfeld, l'étoffe d'une star」(前掲)
32——同上

31 | 話題のダンディ

1——Guillemette Faure「J'y étais... à la master class de Karl à Sciences Po」、『ル・モンド』紙発行の週刊誌『M Le magazine du Monde』、2013年11月29日
2——「Un jour, un destin: Karl Lagerfeld, être et paraître」(前掲)
3——著者とのインタビュー
4——Aurélie Raya & Caroline Tossan「A star is Karl」、『パリ・マッチ』誌、2007年9月9日
5——Jean-Christophe Napias & Patrick Mauriès「Le Monde selon Karl」(前掲)
6——同上
7——著者とのインタビュー
8——著者とのインタビュー
9——著者とのインタビュー
10——著者とのインタビュー
11——著者とのインタビュー
12——Christophe Ono-Dit-Biot「La vie selon Karl Lagerfeld」(前掲)
13——Jean-Christophe Napias & Patrick Mauriès「Le Monde selon Karl」(前掲)
14——著者とのインタビュー
15——Sylvia Jorif & Marion Ruggieri「L'homme sans passé」(前掲)
16——Anne-Cécile Beaudoin & Élisabeth Lazaroo「Karl Lagerfeld, l'étoffe d'une star」(前掲)
17——著者とのインタビュー

32 | ひとり舞台

1——「Un jour, un destin: Karl Lagerfeld, être et paraître」(前掲)
2——「Un jour, un destin: Karl Lagerfeld, être et paraître」(前掲)
3——Xavier Collombier、12時のニュース番組、フランス3 パリ・イル=ド=フランス地域圏、2002年1月22日
4——「Un jour, un destin: Karl Lagerfeld, être et paraître」(前掲)
5——著者とのインタビュー
6——著者とのインタビュー

33 | 立つ鳥、跡を濁さず

1——Colombe Pringle「Je déteste les riches qui vivent au-dessous de leurs moyens」、『レクスプレス』誌、1999年11月11日
2——「Un jour, un destin: Karl Lagerfeld, être et paraître」(前掲)
3——Marie Ottavi『Jacques de Bascher, dandy de l'ombre』(前掲)
4——Marianne Mairesse「Le petit monde de Karl Lagerfeld」(前掲)
5——Mademoiselle Agnèsがプロデュース、司会を務めるテレビ番組「Habillé(e)s pour l'hiver 2018」、LaLaLa Productions、Loïc Prigent監督、Canal+(テレビ局)、2017年5月

エピローグ

1——『さかしま』(J.K.ユイスマンス著、澁澤龍彦訳、河出文庫、2002年)より引用
2——著者とのインタビュー

引用情報

1——邦訳版からの引用なし。
邦訳版:『42kg減!華麗なるダイエット』カール・ラガーフェルト&ジャン=クロード・ウドレー著、フローチャー美和子訳、集英社be文庫、2003年
2——邦訳版からの引用なし。
邦訳版2つあり:『獅子座の女シャネル』ポール・モラン著、秦早穂子訳、文化出版局、1977年
『シャネル―人生を語る』ポール・モラン著、山田登世子訳、中公文庫、2007年
3——邦訳版からの引用あり。
邦訳版:『グレート・ギャツビー』フィツジェラルド著、野崎孝訳、新潮社、1974年

6——著者とのインタビュー
7——著者とのインタビュー

29 | 氷の時代

1——Jean-François Kervéan「Je ne suis qu'un tueur à gages」、『L'Événement du jeudi』誌、1997年12月4〜10日号
2——13時のニュース番組、Sophie Maisel、フランス2(テレビ局)、1997年11月22日
3——著者とのインタビュー
4——13時のニュース番組、Sophie Maisel、フランス2(テレビ局)、1997年11月22日
5——同上
6——著者とのインタビュー
7——著者とのインタビュー
8——Jean-Claude Houdret & Karl Lagerfeld「Le Meilleur des régimes」、ロベール・ラフォン社、2002年
邦訳版:『42kg減!華麗なるダイエット』(カール・ラガーフェルト&ジャン=クロード・ウドレー著、フローチャー美和子訳、集英社be文庫、2003年)
9——Catherine Pozzi「Scolopamine」、『Très haut amour』、ガリマール社、Poésieコレクション、2002年
10——Anne-Florence Schmitt & Richard Gianorio「Je suis un mercenaire」、『マダムフィガロ』誌、2014年10月3日
11——Marc-Olivier Fogiel「Le Divan」(前掲)
12——Vincent Noce「Collection Lagerfeld : vente décousue」、liberation.fr、2000年5月2日
13——参照:Raphaëlle Bacqué「Karl Lagerfeld, l'instinct de survie」、Les visages de Karl Lagerfeld 5/6、『ル・モンド』紙、2018年8月25日

30 | 変身

1——Pepita Dupont「Karl Lagerfeld : Le plus coûteux, ce sont toutes les crèmes que j'achète pour que ma peau ne ressemble pas au plissé d'une robe de Fortuny」、『パリ・マッチ』誌、2002年11月21日
2——Jean-Claude Houdret & Karl Lagerfeld「Le Meilleur des régimes」(前掲)
邦訳版:『42kg減!華麗なるダイエット』(前掲)
3——著者とのインタビュー
4——著者とのインタビュー
5——著者とのインタビュー
6——著者とのインタビュー
7——著者とのインタビュー
8——著者とのインタビュー
9——「Un jour, un destin: Karl Lagerfeld, être et paraître」(前掲)
10——著者とのインタビュー
11——Marion Ruggieri「Karl Lagerfeld présente sa nouvelle ligne」、『エル』誌、2002年11月号
12——Jean-Claude Houdret & Karl Lagerfeld「Le Meilleur des régimes」(前掲)
邦訳版:『42kg減!華麗なるダイエット』(前掲)
13——「Un jour, un destin: Karl Lagerfeld, être et paraître」(前掲)
14——著者とのインタビュー
15——著者とのインタビュー
16——Jean-Claude Houdret & Karl Lagerfeld「Le Meilleur des régimes」(前掲)
邦訳版:『42kg減!華麗なるダイエット』(前掲)
17——「Un jour, un destin: Karl Lagerfeld, être et paraître」(前掲)
18——著者とのインタビュー
19——著者とのインタビュー
20——「Un jour, un destin: Karl Lagerfeld, être et paraître」(前掲)
21——著者とのインタビュー
22——著者とのインタビュー
23——「Un jour, un destin: Karl Lagerfeld, être et paraître」」(前掲)
24——Bernard Pivotがプロデュース、司会を務めるテレビ番組「Double je」、Bérangère Casanova監督(前掲)
25——著者とのインタビュー
26——「Karl Lagerfeld ravi de sa vente」、無記名記事、liberation.fr、2000年5月4日
27——著者とのインタビュー
28——「Un jour, un destin: Karl Lagerfeld, être et paraître」(前掲)
29——著者とのインタビュー
30——著者とのインタビュー

2——著者とのインタビュー
3——Gaumont Pathé archives、1984年10月25日
4——同上
5——同上
6——同上
7——Guillemette de Sairigné「Style : le prince Karl」（前掲）
8——「Moment Fort de Mode : 1983 - Inès de la Fressange devient l'égérie exclusive de la maison Chanel 」Fashion Network, 2014年8月13日
9——著者とのインタビュー
10——Marie-Amélie Lombard「Karl Lagerfeld : ce que je pense d'Inès」、『ル・フィガロ』紙、日付なし
11——Serge Raffy「Karl le téméraire」（前掲）
12——Marie-Amélie Lombard「Karl Lagerfeld : ce que je pense d'Inès」（前掲）
13——同上

25｜絵画の中で

1——著者とのインタビュー
2——著者とのインタビュー
3——著者とのインタビュー
4——著者とのインタビュー
5——著者とのインタビュー
6——著者とのインタビュー

26｜ひとつの時代の終わり

1——著者とのインタビュー
2——著者とのインタビュー
3——「Portrait」、Jean-Louis Pinte、Stefan Zapasnik、Pierre Sisser監督、Denys Limon & Claude Deflandre製作、フランス3（テレビ局）、1987年1月23日
4——著者とのインタビュー
5——「Portrait」、Jean-Louis Pinte、Stefan Zapasnik、Pierre Sisser監督（前掲）
6——著者とのインタビュー
7——著者とのインタビュー
8——「Portrait」、Jean-Louis Pinte、Stefan Zapasnik、Pierre Sisser監督（前掲）
9——著者とのインタビュー
10——「Portrait」、Jean-Louis Pinte、Stefan Zapasnik、Pierre Sisser監督（前掲）

27｜至上の愛

1——13時のニュース番組、William Leymergie & Patricia Charnelet、アンテンヌ2（現フランス2）、1988年3月18日
2——「Portrait」、Jean-Louis Pinte、Stefan Zapasnik、Pierre Sisser監督（前掲）
3——著者とのインタビュー
4——著者とのインタビュー
5——著者とのインタビュー
6——著者とのインタビュー
7——著者とのインタビュー
8——著者とのインタビュー
9——著者とのインタビュー
10——「Un jour, un destin: Karl Lagerfeld, être et paraître」（前掲）
11——同上
12——著者とのインタビュー
13——著者とのインタビュー
14——「Un jour, un destin: Karl Lagerfeld, être et paraître」（前掲）
15——著者とのインタビュー
16——Marie Ottavi『Jacques de Bascher, dandy de l'ombre』（前掲）
17——同上
18——著者とのインタビュー
19——著者とのインタビュー
20——著者とのインタビュー
21——著者とのインタビュー
22——著者とのインタビュー
23——著者とのインタビュー

28｜カールとエリザベス皇太后

1——著者とのインタビュー
2——著者とのインタビュー
3——著者とのインタビュー
4——著者とのインタビュー
5——著者とのインタビュー

21 | 嵐に翻弄される蝶のように

1——オスカー・ワイルド『ドリアン・グレイの肖像』、(前掲)
2——Michel Henry「Les jours et les nuits de Poulet-Dachary」、『リベラシオン』紙、1995年8月31日
3——著者とのインタビュー
4——著者とのインタビュー
5——Marianne Mairesse「Le petit monde de Karl Lagerfeld」(前掲)
6——著者とのインタビュー
7——著者とのインタビュー
8——著者とのインタビュー
9——著者とのインタビュー
10——著者とのインタビュー
11——著者とのインタビュー
12——著者とのインタビュー
13——著者とのインタビュー
14——著者とのインタビュー
15——著者とのインタビュー
16——著者とのインタビュー
17——『さかしま』(J·K·ユイスマンス著、澁澤龍彦訳、河出文庫、2002年)より引用

22 | 落日

1——Virginie Mouzat「Un déjeuner chez Karl Lagerfeld à Paris」、『ル・フィガロ』紙、2011年8月20日
2——「Un jour, un destin: Karl Lagerfeld, être et paraître」(前掲)
3——著者とのインタビュー
4——著者とのインタビュー
5——著者とのインタビュー
6——著者とのインタビュー
7——著者とのインタビュー
8——著者とのインタビュー
9——著者とのインタビュー
10——著者とのインタビュー

23 | ココ・シャネルの遺産

1——著者とのインタビュー
2——著者とのインタビュー
3——著者とのインタビュー
4——著者とのインタビュー
5——著者とのインタビュー
6——著者とのインタビュー
7——「Un jour, un destin: Karl Lagerfeld, être et paraître」(前掲)
8——「Mode Chanel」、20時のニュース番組、Isis Lamy & Jacques Chazot、ORTF(テレビ局)、1970年7月22日
9——Paul Morand「L'Allure de Chanel」、Folioコレクション、2009年
10——著者とのインタビュー
11——著者とのインタビュー
12——著者とのインタビュー
13——「Un jour, un destin: Karl Lagerfeld, être et paraître」(前掲)
14——著者とのインタビュー
15——Jean-Christophe Napias & Patrick Mauriès「Le Monde selon Karl」(前掲)
16——著者とのインタビュー
17——著者とのインタビュー
18——「Un jour, un destin: Karl Lagerfeld, être et paraître」(前掲)
19——著者とのインタビュー
20——「Un jour, un destin: Karl Lagerfeld, être et paraître」(前掲)
21——著者とのインタビュー
22——Hebe Dorsey「Chanel Goes Sexy」、『インターナショナル・ヘラルド・トリビューン』紙、1982年10月19日
23——同上
24——同上
25——著者とのインタビュー
26——著者とのインタビュー
27——Jean-Christophe Napias & Patrick Mauriès「Le Monde selon Karl」(前掲)

24 | パリジェンヌ

1——著者とのインタビュー

(南西ドイツ放送)、1973年7月17日
8——Bayon「Karl Lagerfeld, entre les lignes de Keyserling」(前掲)
9——著者とのインタビュー
10——著者とのインタビュー
11——著者とのインタビュー

17｜亡霊を逃れて

1——「Treffpunkte Lagerfeld」、SWR (南西ドイツ放送)、1973年7月17日

18｜純粋と不純

1——著者とのインタビュー
2——著者とのインタビュー
3——著者とのインタビュー
4——著者とのインタビュー
5——著者とのインタビュー
6——著者とのインタビュー
7——著者とのインタビュー
8——著者とのインタビュー
9——著者とのインタビュー
10——著者とのインタビュー
11——Sylvia Jorif & Marion Ruggieri「L'homme sans passé」、『エル』誌、2008年9月22日
12——著者とのインタビュー
13——Alicia Drake『Beautiful People』(前掲)
14——著者とのインタビュー
15——著者とのインタビュー
16——著者とのインタビュー
17——Élisabeth Lazaroo「Fendi et Karl fêtent leurs noces d'or」(前掲)
18——「Un jour, un destin: Karl Lagerfeld, être et paraître」(前掲)
19——『彼方』(J·K·ユイスマンス著、田辺貞之助訳、東京創元社、1975年) より引用
20——著者とのインタビュー
21——「Un jour, un destin: Karl Lagerfeld, être et paraître」(前掲)
22——著者とのインタビュー
23——著者とのインタビュー

19｜危険な関係

1——「Un jour, un destin: Karl Lagerfeld, être et paraître」(前掲)
2——著者とのインタビュー
3——「Un jour, un destin: Karl Lagerfeld, être et paraître」(前掲)
4——著者とのインタビュー
5——著者とのインタビュー
6——「Un jour, un destin: Karl Lagerfeld, être et paraître」(前掲)
7——著者とのインタビュー
8——「Un jour, un destin: Karl Lagerfeld, être et paraître」(前掲)
9——著者とのインタビュー
10——著者とのインタビュー
11——「Yves Saint Laurent-Karl Lagerfeld : une guerre en dentelles」、Annick Cojeanが司会を務めるフランス5のテレビ番組「Duels」、Stephan Kopecky監督、Et la suite... ! Productions製作、2015年1月1日

20｜カール、城主になる

1——Elizabeth von Arnim『Elizabeth et son jardin allemand』(1899年)、バルティヤ社、2011年(未邦訳)
2——著者とのインタビュー
3——著者とのインタビュー
4——著者とのインタビュー
5——著者とのインタビュー
6——著者とのインタビュー
7——著者とのインタビュー
8——Bayon「Karl Lagerfeld, entre les lignes de Keyserling」(前掲)
9——著者とのインタビュー
10——Anna Piaggi『Karl Lagerfeld: a Fashion Journal』、テームズ&ハドソン社、1986年
11——「Un jour, un destin: Karl Lagerfeld, être et paraître」(前掲)

（前掲）

6——Françoise-Marie Santucci & Olivier Wicker「Lagerfeld: « Lire... La chose la plus luxueuse de ma vie »」、『リベラシオン』紙、2010年6月22日

11｜時代のベクトル

1——著者とのインタビュー
2——著者とのインタビュー
3——著者とのインタビュー
4——著者とのインタビュー
5——著者とのインタビュー
6——著者とのインタビュー
7——Guillemette de Sairigné「Style : le prince Karl」（前掲）
8——著者とのインタビュー
9——著者とのインタビュー

12｜伝説のはじまり

1——「Des dessous discutés」、テレビ番組「Dim Dam Dom」、ORTF（テレビ局）、Rémy Grumbach監督、Daisy de Galard製作、1968年5月12日
2——「Mode : styliste Karl Lagerfeld」、13時のニュース番組、ORTF（テレビ局）、1970年4月27日
3——同上
4——同上
5——Dominique Brabec「Un dandy discret」、『レクスプレス』誌、1972年4月10〜16日号
6——同上
7——著者とのインタビュー

13｜新しい仲間たち

1——著者とのインタビュー
2——著者とのインタビュー
3——著者とのインタビュー
4——著者とのインタビュー
5——著者とのインタビュー
6——著者とのインタビュー
7——著者とのインタビュー

14｜カールとエリザベート

1——著者とのインタビュー
2——著者とのインタビュー
3——著者とのインタビュー
4——著者とのインタビュー
5——著者とのインタビュー

15｜共鳴し合うふたり

1——著者とのインタビュー
2——参照：Marie Ottavi『Jacques de Bascher, dandy de l'ombre』、セギエ社、2017年
3——著者とのインタビュー
4——『ドリアン・グレイの肖像』（オスカー・ワイルド著、福田恆存訳、新潮社、1962年）より引用
5——著者とのインタビュー
6——著者とのインタビュー
7——著者とのインタビュー
8——著者とのインタビュー
9——著者とのインタビュー
10——「Un jour, un destin: Karl Lagerfeld, être et paraître」（前掲）
11——著者とのインタビュー
12——Alicia Drake「Beautiful People」（前掲）、251ページ参照

16｜皇帝カールの誕生

1——「Un jour, un destin: Karl Lagerfeld, être et paraître」（前掲）
2——著者とのインタビュー
3——著者とのインタビュー
4——著者とのインタビュー
5——Élisabeth Lazaroo「Fendi et Karl fêtent leurs noces d'or」、『パリ・マッチ』誌、2015年7月8日
6——著者とのインタビュー
7——「Treffpunkte Lagerfeld」、SWR

5 | 解放に沸くパリへ

1——Anne-Cécile Beaudoin & Élisabeth Lazaroo「Karl Lagerfeld, l'étoffe d'une star」(前掲)

2——Serge Raffy「Karl le téméraire」、『ル・ヌーヴェル・オプセルヴァトゥール』誌、2004年7月1日

6 | 恐るべき子どもたち

1——「Un jour, un destin: Karl Lagerfeld, être et paraître」(前掲)

2——著者とのインタビュー

3——Sylvia Jorif「Vis ma vie de Karl Lagerfeld」、『エル』誌、2012年3月16日

4——著者とのインタビュー

5——「Un jour, un destin: Karl Lagerfeld, être et paraître」(前掲)

6——Bernard Pivotがプロデュース、司会を務めるテレビ番組「Double je」、Bérangère Casanova監督(前掲)

7——著者とのインタビュー

8——著者とのインタビュー

9——「Un jour, un destin: Karl Lagerfeld, être et paraître」(前掲)

10——同上

11——同上

12——同上

13——同上

14——同上

7 | リッツパリで朝食を

1——著者とのインタビュー

2——「Un jour, un destin: Karl Lagerfeld, être et paraître」(前掲)

3——同上

4——著者とのインタビュー

5——Victoire Doutreleau「Et Dior créa Victoire」、ル・シェルシュ・ミディ社、2014年

6——著者とのインタビュー

7——著者とのインタビュー

8——「Un jour, un destin: Karl Lagerfeld, être et paraître」(前掲)

9——Marc-Olivier Fogiel「Le Divan」、フランス3(テレビ局)、2015年2月24日

10——Richard Gianorio「Karl Lagerfeld: "Je suis au-delà de la Tention"」、『マダムフィガロ』誌、Lefigaro.fr、2015年6月28日

8 | 幻影を追い求めて

1——Loïc Prigent「Partir avec Karl Lagerfeld à Paris」、エールフランス機内誌『Air France Magazine』、2007年12月

2——著者とのインタビュー

3——著者とのインタビュー

4——『グレート・ギャツビー』(フィッツジェラルド著、野崎孝訳、新潮社、1974年)より引用

5——著者とのインタビュー

9 | 日陰の花

1——著者とのインタビュー

2——著者とのインタビュー

3——著者とのインタビュー

4——「Un jour, un destin: Karl Lagerfeld, être et paraître」(前掲)

5——同上

6——著者とのインタビュー

7——著者とのインタビュー

10 | 両親の呪縛

1——Jean-Christophe Napias & Patrick Mauriès「Le Monde selon Karl」(前掲)

2——Guillemette de Sairigné「Style : le prince Karl」、『ル・ポワン』誌、1987年1月12日

3——同上

4——Eduard von Keyserling『Été brûlant』(名作集『Œuvres choisies-Histoires de château』所収、フランス語版)、シソーラス/アクト・シュッド社、1986年(未邦訳)

5——Marie-Claire Pauwels「Karl le magnifique」

13——「Un jour, un destin: Karl Lagerfeld, être et paraître」(前掲)

14——Marianne Mairesse「Le petit monde de Karl Lagerfeld」、『マリ・クレール』誌、2005年7月1日

15——著者とのインタビュー

16——Anne-Cécile Beaudoin & Élisabeth Lazaroo「Karl Lagerfeld, l'étoffe d'une star」、『パリ・マッチ』誌、2013年4月25日

17——著者とのインタビュー

18——「Un jour, un destin: Karl Lagerfeld, être et paraître」(前掲)

19——Marianne Mairesse「Le petit monde de Karl Lagerfeld」(前掲)

20——「Un jour, un destin: Karl Lagerfeld, être et paraître」(前掲)

21——Anne-Cécile Beaudoin & Élisabeth Lazaroo「Karl Lagerfeld, l'étoffe d'une star」より引用

22——Jean-Christophe Napias & Patrick Mauriès「Le Monde selon Karl」、フラマリオン社、2013年

23——Olivia de Lamberterie「Je sais dessiner, lire, parler, et c'est tout」、『エル』誌、2013年9月27日

24——Christophe Ono-Dit-Biot「La vie selon Karl Lagerfeld」、『ル・ポワン』誌、2012年11月1日

25——「Un jour, un destin: Karl Lagerfeld, être et paraître」(前掲)

26——同上

27——Jean-Christophe Napias & Patrick Mauriès「Le Monde selon Karl」(前掲)

28——Christophe Ono-Dit-Biot「La vie selon Karl Lagerfeld」(前掲)

29——Anne-Cécile Beaudoin & Élisabeth Lazaroo「Karl Lagerfeld, l'étoffe d'une star」(前掲)

30——Alicia Drake「Beautiful People」、ドノエル社、2008年/ガリマール社、Folioコレクション(文庫)、2010年、263ページより引用

31——Bernard Pivotがプロデュース、司会を務めるテレビ番組「Double je」、Bérangère Casanova監督、フランス2(テレビ局)、2003年2月27日

32——「Karl Lagerfeld se dessine」、Loïc Prigent監督、Story Box製作、Arte(テレビ局)、2013年3月2日

3 | 異質な少年

1——Olivier Wicker「Karl Lagerfeld se livre. Une interview exclusive pour le magazine Obsession」(前掲)

2——著者とのインタビュー

3——著者とのインタビュー

4——Anne-Cécile Beaudoin & Élisabeth Lazaroo「Karl Lagerfeld, l'étoffe d'une star」(前掲)

5——同上

6——著者とのインタビュー

7——参照:ドイツ連邦公文書館(Bundesarchiv)

8——著者とのインタビュー

9——「Karl Lagerfeld, un roi seul」、テレビ番組「Empreintes」、Thierry Demaizière & Alban Teurlai監督、Éléphant et Falabracks製作、フランス5(テレビ局)、2008年10月3日

10——Bayon「Karl Lagerfeld, entre les lignes de Keyserling」(前掲)などを参照のこと

11——Eduard von Keyserling『Été brûlant』(フランス語版)、Jacqueline Chambon & Peter Krauss訳、アクト・シュッド社、1986年(未邦訳)

12——同上

13——「Un jour, un destin: Karl Lagerfeld, être et paraître」(前掲)

14——同上

15——Anne-Cécile Beaudoin & Élisabeth Lazaroo「Karl Lagerfeld, l'étoffe d'une star」(前掲)

16——同上

4 | ディオール、パリの香り

1——「Un jour, un destin: Karl Lagerfeld, être et paraître」(前掲)

2——著者とのインタビュー

3——著者とのインタビュー

4——Olivia de Lamberterie「Je sais dessiner, lire, parler, et c'est tout」(前掲)

5——Jean-Christophe Napias & Patrick Mauriès「Le Monde selon Karl」(前掲)

6——Anne-Cécile Beaudoin & Élisabeth Lazaroo「Karl Lagerfeld, l'étoffe d'une star」(前掲)

7——「Un jour, un destin: Karl Lagerfeld, être et paraître」(前掲)

原注

1 | 知識という鎧

1——Françoise-Marie Santucci、Olivier Wicker「Lagerfeld, mercenaire de la provocation」、『リベラシオン』紙、2004年11月13日

2——Cédric Morisset「Dans le vaisseau amiral de Karl Lagerfeld」、『AD』誌、2012年6月5日

3——著者とのインタビュー

4——Élisabeth Lazaroo「Karl Lagerfeld: Brigitte Macron a les plus belles jambes de Paris」、『パリ・マッチ』誌、2017年7月21日

5——Olivier Wicker「Karl Lagerfeld se livre. Une interview exclusive pour le magazine Obsession」、『ル・ヌーヴェル・オプセルヴァトゥール』誌、2012年8月23日

6——Bayon「Karl Lagerfeld, entre les lignes de Keyserling」、『リベラシオン』紙、2010年11月6日

2 | 静謐なサンクチュアリ

1——Marie-Claire Pauwels「Karl le magnifique」、『ル・ポワン』誌、2005年7月7日

2——Jacques Bertoin「Karl Lagerfeld, marginal de luxe」、『ル・モンド』紙(日曜版)、1980年4月27日

3——Laurent Delahousseがさまざまなドキュメンタリーを紹介するテレビ番組「Un jour, un destin」で放送された「Karl Lagerfeld : être et paraître」、Laurent Allen-Caron監督、Magnéto Presse製作、フランス2(テレビ局)、2017年2月19日

4——著者とのインタビュー

5——François Busnel「Le grand entretien」、フランス・アンテール(ラジオ局)、2012年11月23日

6——Marc-Olivier Fogiel「Le Divan」、フランス3(テレビ局)、2015年2月24日

7——著者とのインタビュー

8——著者とのインタビュー

9——「Un jour, un destin: Karl Lagerfeld, être et paraître」(前掲)

10——著者とのインタビュー

11——「Un jour, un destin: Karl Lagerfeld, être et paraître」(前掲)

12——Marie-Claire Pauwels「Karl le magnifique」、『ル・ポワン』誌、2005年7月7日

テレビ番組「Double je」、Bérangère Casanova監督、Bernard Pivot製作、フランス2(テレビ局)、2003年2月27日

「Karl Lagerfeld, un roi seul」、テレビ番組「Empreintes」、Thierry Demaizière & Alban Teurlai監督、Éléphant et Falabracks製作、フランス5(テレビ局)、2008年10月3日

「Karl Lagerfeld : Le Grand Entretien」、François Busnel、フランス・アンテール(ラジオ局)、2012年11月23日

「Karl Lagerfeld se dessine」、Loïc Prigent監督、Story Box製作、Arte(テレビ局)、2013年3月2日〈https://www.dailymotion.com/video/x2jzlgs〉

「Le Divan」、Marc-Olivier Fogiel、フランス3(テレビ局)、2015年2月24日

「Yves Saint Laurent-Karl Lagerfeld : une guerre en dentelles」、テレビ番組「Duels」、Stephan Kopecky監督、Et La Suite... ! Productions製作、2015年1月1日〈DUEL Yves Saint-Laurent/Karl Lagerfeld Teaser 1:https://vimeo.com/123941112〉〈DUEL Yves Saint-Laurent/Karl Lagerfeld Teaser 2:https://vimeo.com/123941381〉

「Moment Fort de Mode : 1983 - Inès de la Fressange devient l'égérie exclusive de la maison Chanel」、Fashion Network、2014年8月13日〈https://fr.fashionnetwork.com/videos/video/13697,Moment-Fort-de-Mode-1983-Ines-de-la-Fressange-devient-l-egerie-exclusive-de-la-maison-Chanel.html〉

「Karl Lagerfeld : être et paraître」、ドキュメンタリー番組「Un jour, un destin」、Laurent Allen-Caron監督、Magnéto Presse製作、フランス2(テレビ局)、2017年2月19日

Aurélie Raya & Caroline Tossan「A star is Karl」、『パリ・マッチ』誌、2007年9月9日
Loïc Prigent「Partir à Paris avec Karl Lagerfeld」、エールフランス機内誌『Air France Magazine』、2007年12月
Sylvia Jorif & Marion Ruggieri「L'homme sans passé」、『エル』誌、2008年9月22日
Françoise-Marie Santucci & Olivier Wicker「Lagerfeld:《Lire... La chose la plus luxueuse de ma vie》」、『リベラシオン』紙、2010年6月22日
Bayon「Karl Lagerfeld, entre les lignes de Keyserling」、『リベラシオン』紙、2010年11月6日
Virginie Mouzat「Un déjeuner chez Karl Lagerfeld à Paris」、『ル・フィガロ』紙、2011年8月20日
Sylvia Jorif「Vis ma vie de Karl Lagerfeld」、『エル』誌、2012年3月16日
Cédric Morisset「Dans le vaisseau amiral de Karl Lagerfeld」、『AD』誌、2012年6月5日
Olivier Wicker「Karl Lagerfeld se livre. Une interview exclusive pour le magazine Obsession」、『ル・ヌーヴェル・オプセルヴァトゥール』誌、2012年8月23日
Christophe Ono-Dit-Biot「La vie selon Karl Lagerfeld」、『ル・ポワン』誌、2012年11月1日
Anne-Cécile Beaudoin & Élisabeth Lazaroo「Karl Lagerfeld, l'étoffe d'une star」、『パリ・マッチ』誌、2013年4月25日
Olivia de Lamberterie「Je sais dessiner, lire, parler, et c'est tout」、『エル』誌、2013年9月27日
Guillemette Faure「J'y étais... à la master class de Karl à Sciences Po」、『ル・モンド』紙発行の週刊誌『M Le magazine du Monde』、2013年11月29日
Anne-Florence Schmitt & Richard Gianorio「Je suis un mercenaire」、『マダムフィガロ』誌、2014年10月3日
Richard Gianorio「Karl Lagerfeld : "Je suis au-delà de la tentation"」、『マダムフィガロ』誌、Lefigaro.fr、2015年6月28日
Loïc Prigent「Karl Lagerfeld, l'inoxydable」、『レ・ゼコー ウィークエンド』紙、2015年10月16日
Élisabeth Lazaroo「Fendi et Karl fêtent leurs noces d'or」、『パリ・マッチ』誌、2015年7月8日
Élisabeth Lazaroo「Karl Lagerfeld: Brigitte Macron a les plus belles jambes de Paris」、『パリ・マッチ』誌、2017年7月21日

音声と映像

「Karl Lagerfeld et Yves Saint Laurent jeunes couturiers」、テレビ番組「Magazine Féminin」、Maïté Célérier de Sannois製作、RTF、1955年1月7日〈https://www.ina.fr/video/I09009054〉
「Des dessous discutés」、テレビ番組「Dim Dam Dom」、ORTF(テレビ局)、Rémy Grumbach監督、Daisy de Galard製作、1968年5月12日
「Mode : styliste Karl Lagerfeld」、13時のニュース番組、ORTF(テレビ局)、1970年4月27日
「Mode Chanel」、20時のニュース番組、Isis Lamy & Jacques Chazot、ORTF(テレビ局)、1970年7月22日
「Treffpunkte Lagerfeld」、SWR(南西ドイツ放送)、1973年7月17日
「Collection Chanel」、テレビ番組「Aujourd'hui, la vie」、Marie-José Lepicard、Ado Kyrou監督、アンテンヌ2(現フランス2)、1983年3月11日〈https://www.ina.fr/video/I06269550/collection-chanel-video.html〉
Gaumont Pathé archives、1984年10月25日
「Portrait」、Jean-Louis Pinte、Stefan Zapasnik、Pierre Sisser監督、Denys Limon & Claude Deflandre製作、フランス3(テレビ局)、1987年1月23日
テレビ番組「Bains de minuit」、Franck Lords監督、Thierry Ardisson & Catherine Barma製作、ラ・サンク(テレビ局)、1988年3月4日
13時のニュース番組、William Leymergie & Patricia Charnelet、アンテンヌ2(現フランス2)、1988年3月18日
13時のニュース番組、Sophie Maisel、フランス2(テレビ局)、1997年11月22日
12時のニュース番組、Xavier Collombier、フランス3パリ・イル=ド=フランス地域圏、2002年1月22日
「Lagerfeld confidentiel」、Rodolphe Marconi監督、Grégory Bernard製作、2007年10月24日

Janie Samet『Chère haute couture』、プロン社、2006年
Peter Schlesinger『A Chequered Past, My Visual Diary of the 60's and 70's』、テームズ&ハドソン社、2004年
Francis Veber『Que ça reste entre nous』、ロベール・ラフォン社、2010年
Elizabeth von Arnim『Elizabeth et son jardin allemand』(1899年)、バルティヤ社、2011年
Honoré de Balzac『Béatrix』、ガリマール社、Folio classiqueコレクション(文庫)、1979年
Francis Scott Fitzgerald,『Gatsby le Magnifique』, LGF、1976年
引用情報(3)
Joris-Karl Huysmans『À rebours』、ガリマール社、Folioコレクション(文庫)、1977年
引用情報(4)
Joris-Karl Huysmans『Là-bas』ガリマール社、Folioコレクション(文庫)、1985年
引用情報(5)
Eduard von Keyserling『Été brûlant』(名作集『Œuvres choisies-Histoires de château』所収)、シソーラス/アクト・シュッド社、1986年
D. H. Lawrence『Femmes amoureuses』、ガリマール社、Folioコレクション(文庫)、1988年
Paul Morand『L'Allure de Chanel』、ガリマール社、Folioコレクション(文庫)、2009年
Catherine Pozzi『Très haut amour』、ガリマール社、Poésieコレクション(文庫)、2002年
Jean-Paul Sartre『Les Mots』、ガリマール社、Folioコレクション(文庫)、1972年
Evelyn Waugh『Retour à Brideshead』、ロベール・ラフォン社、Pavillons pocheコレクション(文庫)、2017年
Oscar Wilde『Le Portrait de Dorian Gray』、LGF社、1972年
引用情報(6)

記事と文書

Dominique Brabec「Un dandy discret」、『レクスプレス』誌、1972年4月10〜16日号
Joel Stratte-McClure「What Karl Lagerfeld Finds in Creation ?」、『ヘラルド・トリビューン』紙、1979年12月14日
Jacques Bertoin「Karl Lagerfeld, marginal de luxe」、『ル・モンド』紙(日曜版)、1980年4月27日
Hebe Dorsey「Chanel Goes Sexy」、『インターナショナル・ヘラルド・トリビューン』紙、1982年10月19日
Gérard Lefort「Karl Lagerfeld, le tailleur Chanel」、『リベラシオン』紙、1984年1月24日
Guillemette de Sairigné「Style : le prince Karl」、『ル・ポワン』誌、1987年1月12日
Marie-Amélie Lombard「Karl Lagerfeld : ce que je pense d'Inès」、『ル・フィガロ』紙、日付なし
M. H「La guerre des boutons」、『ル・フィガロ』紙、1988年7月21日
Janie Samet「Porte ouverte... Chez」、『ル・フィガロ』紙、1989年8月22日
Françoise Lepeltier「Karl Lagerfeld : retrouver l'Europe des Lumières」、『ル・フィガロ』紙、1991年12月6日
Michel Henry「Les jours et les nuits de Poulet-Dachary」、『リベラシオン』紙、1995年8月31日
Colombe Pringle「Je déteste les riches qui vivent au-dessous de leurs moyens」、『レクスプレス』誌、1999年11月11日
Vincent Noce「Collection Lagerfeld : vente décousue」、liberation.fr、2000年5月2日
「Karl Lagerfeld ravi de sa vente」、無記名記事、liberation.fr、2000年5月4日
A.T.「DSK-Lagerfeld : présomptions de gros cadeau」、『リベラシオン』紙、2001年6月7日
Pepita Dupont「Karl Lagerfeld : Le plus coûteux, ce sont toutes les crèmes que j'achète pour que ma peau ne ressemble pas au plissé d'une robe de Fortuny」、『パリ・マッチ』誌、2002年11月21日
Serge Raffy「Karl le téméraire」、『ル・ヌーヴェル・オプセルヴァトゥール』誌、2004年7月1日
Françoise-Marie Santucci & Olivier Wicker「Lagerfeld, mercenaire de la provocation」、liberation.fr、2004年11月13日
Marianne Mairesse「Le petit monde de Karl Lagerfeld」、『マリ・クレール』誌、2005年7月1日
Marie-Claire Pauwels「Karl le magnifique」、『ル・ポワン』誌、2005年7月7日

書誌情報

書籍

Laurence Benaïm『Yves Saint Laurent』、グラッセ社、2002年

Werner Busch『Menzel』、アザン社、2015年

Victoire Doutreleau『Et Dior créa Victoire』、ル・シェルシュ・ミディ社、2014年

Alicia Drake『Beautiful People』、ドノエル社、2008年／ガリマール社、Folioコレクション(文庫)、2010年

Jean-Claude Houdret & Karl Lagerfeld『Le Meilleur des régimes』、ロベール・ラフォン社、2002年
引用情報(1)

Patrick Hourcade『La Puissance d'aimer』、ミシェル・ドゥ・モール社、2012年

François Jonquet『Jenny Bel'Air, une créature』、ポーヴェール社、2001年

Karl Lagerfeld『A portrait of Dorian Gray』、シュタイデル社、2004年

Karl Lagerfeld『Ein deutsches Haus』、シュタイデル社、1997年

Karl Lagerfeld『Parcours de travail』、シュタイデル社、2010年

Antonio Lopez『Instamatics』、ツイン・パルム社、2012年

Alain Montandon(監修)『Dictionnaire du dandysme』、シャンピオン社、2016年

Philippe Morillon『Une dernière danse ? 1970-1980, Journal d'une décennie』、エディション7L、2009年

Paul Morand『L'Allure de Chanel』、ガリマール社、Folioコレクション(文庫)、2009年
引用情報(2)

Jean-Christophe Napias & Patrick Mauriès『Le Monde selon Karl』、フラマリオン社、2013年

Marie Ottavi『Jacques de Bascher, dandy de l'ombre』、セギエ社、2017年

Paquita Paquin『Vingt ans sans dormir』、ドノエル社、2005年

Roger Peyrefitte『Voltaire et Frédéric II』、アルバン・ミシェル社、1992年

Anna Piaggi & Karl Lagerfeld『Karl Lagerfeld: A Fashion Journal』、テームズ&ハドソン社、1986年

Paul Sahner『Karl』、mvg社、2015年

訳者プロフィール

岡フリオ 朋子

仏英日翻訳者。コルシカ島在住。
高校、大学とフランス語を専攻し、仏企業に就職。
国内外での勤務を経てフランスに移住し、翻訳者に。
現在は、ファッション&ラグジュアリー分野を中心に、
仏ブランドなどのマーケティング翻訳や
トランスクリエーション、書籍等を手掛ける。

評伝カール・ラガーフェルド

2021年5月19日 初版第1刷発行

著者――ローラン・アレン＝キャロン
訳者――岡 フリオ 朋子
校正――末木愛　伊藤亮太（株式会社 円水社）
ブックデザイン――中野豪雄　鈴木直子（株式会社 中野デザイン事務所）
印刷――藤原印刷株式会社
製本――加藤製本株式会社
発行人――星野有美　五十嵐妙
発行所――アンドエト

〒160-0006 東京都新宿区舟町4-4-302
Tel 03.6326.8270 | Fax 03.6326.8270
https://and-eto.com

乱丁、落丁の本がございましたら小社宛にお送りください。

送料小社負担にてお取り替えいたします。

本書の全部または一部を無断で複写複製（コピー）することは、著作権法上の例外を除き、禁じられています。

また、私的使用以外のいかなる電子的複製行為も一切認められておりません。

ISBN978-4-910204-02-4
C0098 ¥2800E
Printed in Japan
定価　2800円+税